Loods aan boord

*Aan de directeur van het loodswezen in Amsterdam, de commissaris
in IJmuiden, de loodsen daar en de schipper van de Deneb,
de mannen op de semafoor, de chef van de havenradar en aan
een gepensioneerde loods te Rotterdam breng ik dank voor hun hulp
bij de voorbereiding van dit boek.*

Loods aan boord

K. Norel

Callenbach

Op bladzijde 171 is een woordenlijst opgenomen om een aantal scheepvaarttermen te verklaren.

© 1999 Uitgeverij Callenbach
Postbus 5018, 8260 GA Kampen
omslagontwerp Bas Mazur
isbn 90 266 1014 9
nugi 222
vanaf 12 jaar

INHOUD

1 JAN LOOTS STAPT NOG EENS OP

N og vief en kwiek ondanks zijn leeftijd, stapte Jan Loots van de afhaalboot op de Aldebaran over. Hij klom meteen naar de brug om zijn oude vriend, Herman van Dijk, de schipper van de loodsboot, te groeten.

'Hei Jan,' zei die verrast. 'Jij weer 'ns hier?'

Jan grinnikte vergenoegd. Ja, hij was er weer, nadat hij drie jaar lang loods aan de wal, loods met pensioen was geweest. Gisteren was hij bij de commissaris geroepen. 'Hoe gaat het, Loots?' had die gevraagd. 'Gezond, meneer,' had hij gezegd. Daarop had de commissaris gesproken over drukke vaart en het gebrek aan loodsen. Jan had direct gevoeld waar het naar toe ging en er was in zijn binnenste wat gaan gloeien. Ha, ha! Ze konden hem nog gebruiken; hij was nog niet helemaal afgedankt. Hij moest zich bedwingen om de commissaris niet te onderbreken met: 'Als u me nodig hebt; ik ben tot uw dienst!' Maar toen deze eindelijk vroeg of hij hem uit de penarie wilde helpen, antwoordde Jan: 'U hebt nog nooit tevergeefs een beroep op mij gedaan, wel commissaris?' 'Nog nooit,' beaamde de commissaris en meteen liet hij erop volgen: 'Ik verwacht je morgenochtend half elf op de afhaalboot.'

Jan was van het loodskantoor naar huis gewandeld, z'n rug rechter, z'n pas vlugger en veerkrachtiger dan hij de laatste jaren had gelopen. Morgen stond hij weer op de brug! Met een brede zwaai had hij z'n hoed afgenomen voor dokter Van der Zaan, alsof hij daarmee zeggen wilde: 'Hier is ie, dokter, oud en grijs, maar best gezond en nog goed in staat om z'n werk te doen.' Maar toen de dokter bij Willem Dekker aanbelde, had hij een steek gevoeld. Dekker was ook loods, ruim tien jaar jonger dan hij, maar al een hele tijd sukkelend. Willem was dus weer ziek. Omdat die arme kerel niet kon, mocht hij, Jan, dienst doen. De een z'n dood is de ander z'n brood.

Hij viel met de deur in huis. 'Vrouw, waar heb je m'n uniform? Ik moet varen!' Het klonk luid, alsof hij van de brug af een stuurman op de bak moest beroepen.

Jane, even dommelend in haar stoel na het middageten, schrok op. 'Hè... watte?'

'Ik moet varen!' herhaalde hij.

'Varen?' vroeg ze geschrokken. 'En je zou...'

Hij had hartelijk gelachen. Jane, half wakker uit haar droom, was een kleine vijftig jaar teruggesprongen, naar hun verlovingstijd. Toen voer hij als stuurman op een tramp, soms een reisje van een paar maanden, soms van twee jaar. Die lange reizen waren een nachtmerrie voor haar geweest. Ze zag allemaal apen en beren op de weg, als ze eens getrouwd zouden zijn. 'Zou je niet een baan aan de wal zoeken?' had ze hem gevraagd. Dat had hem kwaad gemaakt. 'Je wist toch dat je met een zeeman ging, toen je *ja* zei tegen me.' Daarop had ze gezwegen. Maar ze was tijdens dat verlof niet zoals anders geweest, en hij ook niet. Hij had het gevoel, alsof ze zonder woorden hem toch wilde dwingen de zee eraan te geven, en hij liet zich niet dwingen, zelfs niet door haar. Toen zijn schip weer uit zou varen, had ze hem aan boord gebracht, zoals gewoonlijk. Ze hadden met z'n allen in de mess gezeten, de stuurlui met hun vrouwen en verloofden, allemaal vrolijk, een beetje opgeschroefd misschien, lachend omdat ze bang waren anders te moeten huilen. Tenslotte waren Jane en hij samen naar zijn hut gegaan. Ze was toen erg stil geweest. Ze had gekeken naar de foto's van haar, die hij aan de wand geprikt had, weer een nieuwe naast de vorige. 'Zo is het net of jij meevaart,' zei hij met een gedwongen lachje. Daarop was ze opeens begonnen te huilen en tegelijk was ze aan zijn hals gaan hangen: 'Wil je het vergeten, Jan?' had ze gesmeekt. Hij had haar niet begrepen. 'Wat?' 'Dat ik je heb gevraagd een baantje aan de wal te zoeken. Dat hoeft niet, hoor; voor mij niet. Ik zal me best redden.' Op dat ogenblik was een pak, dat dagen lang zwaar op zijn hart gelegen had, er afgegleden. 'Je bent een fijne meid,' had hij gezegd en hij had haar omhelsd, zo heftig dat ze haar haar moest kammen, voordat ze de hut uitging. Toen ze op de kade stond, terwijl het schip uitvoer, was haar gezicht een lach en een traan.

Die reis was lang geworden: Halifax, Boston, New Orleans. Daarna door het Panamakanaal: San Francisco, Vancouver. En nog verder weg: Sydney, Perth...

Toen zijn eerste zeereis, die hij als stuurmansleerling maakte, steeds langer duurde, was het hem naar de zin geweest: Yokohama, Hongkong, Batavia... Er gingen telkens nieuwe werelden voor hem open. Hij had tenslotte wel verlangd naar het vaderland, maar het was geen hunkeren geweest. Als de reis nog een paar maanden langer had geduurd, had hij dat ook best gevonden. Anderen hadden last van de verlatenheid van de oceanen, wanneer ze dag na dag en soms week na week alleen maar lucht en water zagen. Hij niet. Verlatenheid? Je zag toch iedere morgen weer dezelfde zon en elke avond opnieuw dezelfde sterren! Dat waren goede gidsen.

Die keer was de oversteek van Vancouver naar Sydney hem toch lang gevallen en tijdens de zwerftocht langs Australische havens, verlangde hij steeds sterker naar huis. Van Perth ging het naar Singapore; dat was de goede richting. Maar toen ze daar lagen, werd er gefluisterd dat ze lading kregen voor New York. Jan was kwaad geworden bij dat gerucht, maar het bleek niet waar te zijn, ze gingen naar Kaapstad. Dat was een omweg, maar het kon een schakel zijn in de reis naar huis. In Kaapstad vertelde men dat ze moesten laden voor Bangkok. Toen werd Jan woedend. Hij moest naar huis. Hij liep met het plan rond weg te lopen. Het werd toch bestemming Rotterdam! Jan sprong een gat in de lucht. Het eerste wat hij tegen Jane zei bij zijn thuiskomst, was: 'Dit nooit weer!' Het klonk haar als muziek in de oren, want de lange scheiding was voor haar, ook al was ze dapper geweest bij het vertrek, verschrikkelijk geweest.

Hij had gesolliciteerd naar een stuurmansplaats op een lijnbootje op Engeland. Vroeger had hij altijd neergekeken op mensen die op weekbootjes voeren. In een tobbe over een kikkersloot, niks gedaan voor een zeeman, had hij gespot. En nu stond hij met z'n petje in de hand te schooien om zo'n job. Hij had hem niet gekregen; er waren er veel te veel die van de wilde vaart naar de kleine lijndienst wilden, allemaal om hun vrouw een plezier te doen. Tenslotte had hij toch maar weer gemonsterd op een tramp; er was geen andere plek vrij. Jane had hem geen strobreed in de weg gelegd. Toen hij neerslachtig was bij het vooruitzicht van een nieuwe lange scheiding, had ze hem opgemonterd. 'Een jaar is immers zo om en wij schrijven elkaar trouw.'

Het was een reis geworden van een jaar en negen maanden; het had hun beiden veel te lang geduurd.

Nadat hij afgemonsterd was, hadden Jane en Jan een bezoek gebracht aan een oom van hem in Enkhuizen. Die oude baas merkte algauw dat Jan nu anders over lange reizen dacht dan toen hij pas op zee was. Het verbaasde oom IJsbrant niet. Hij had dit al zo vaak gezien bij jonge zeelui. Als het meisje in het spel kwam, was het plezier van het varen eraf en zochten ze een baantje aan de wal. 'Ik niet,' had Jan toen gezegd. 'Ik blijf op zee.' 'Wel man, word loods,' had zijn oom gezegd. Jan knipperde met de ogen. 'Loods?' Hij had daar nog nooit aan gedacht. 'Ja,' zei z'n oom, 'dan keer je terug naar ons oude beroep.' Dat begreep Jan niet. 'Wij heten toch Loots,' zei z'n oom. 'Dat is naar het oude beroep van onze familie.' Jan had nooit geweten dat er in zijn familie loodsen waren geweest. Zijn vader was conducteur bij het Hollandse Spoor; zijn grootvader was pakhuisbaas geweest; oom IJsbrant had een smederij. 'O, het is al lang geleden,' vertelde zijn oom. ''t Was in de tijd, toen alle schepen op Amsterdam nog over de Zuiderzee gingen. Mijn grootvader en z'n broers brachten de Oost-Indiëvaarders door het Marsdiep en het Malzwin, langs het Enkhuizer Zand en over Pampus naar Amsterdam. Hun grootvaders deden dat ook al. Het was zozeer een familiebedrijf, dat iedereen ze loods noemde en bij de registratie onder Napoleon werden ze onder die naam ingeschreven.' 'We heten toch Loots met een t,' zei Jan, Maar daar lachte oom Ijsbrant om. Naar zulke kleinigheden van een d of een t op het eind van een woord keken de mensen vroeger niet.

Oom IJsbrant, die een snuffelaar in oude papieren was, raakte op dreef, toen hij het over vroeger had, en wijdde al verder uit. De loodsen stonden toen niet in dienst van stad of staten. Zij beoefenden een vrij beroep. Ze boden aan de kapiteins hun diensten aan en deze namen wie ze wilden. De meesten hadden vaste klanten, te danken aan hun reputatie als kenners van de Zuiderzee en aan hun vriendschap met de kapiteins. Maar dikwijls werd er door loodsen onderling gevochten om schepen en de kapiteins huldigden de stelling: diegene die het eerst is krijgt de klus. Hierbij kwamen zeil- en roeiwedstrijden voor, waarbij het er hard om toeging.

Jan luisterde maar half meer naar het verhaal. Hij dacht na over de raad, die oom IJsbrant hem gegeven had: 'Word loods.' Als zijn oom, of wie dan ook het hem een paar jaar eerder had aangeraden, zou hij het ver weggeworpen hebben. Wat was een loods? Precies een trambestuurder, die altijd hetzelfde rondje reed. De Waterweg in en de Waterweg uit. De haven van IJmuiden in en uit. Of van Vlieree over het wad naar Harlingen en weer terug. Of door de Eems naar Delfzijl. Of de Schelde op naar Antwerpen of Gent. Altijd hetzelfde stukje. Een binnenschippertje had nog meer afwisseling. Hij, Jan, was zeeman geworden, omdat hij ervan hield te zwerven over de wijde zeeën, met de zon en de sterren als enige begeleiding. Hij wilde alle landen bereizen. Als loods kwam je in geen enkele vreemde haven en nauwelijks op zee. Dat zou hij toen gezegd hebben. Maar nu had hij genoeg lucht en water gezien en ervaren dat alle havens er hetzelfde uitzagen. En hij wilde ook wat aan zijn vrouw hebben.

Hij had bij het loodswezen gesolliciteerd en was als leerling aangenomen. In die functie had hij een paar harde noten moeten kraken. Op de loodsschoener, die ze toen hadden, moest hij het dek zwabberen en schuren, koper poetsen, de mast in en de boegspriet op bij het werken aan de zeilen. Hij moest met de jol de loodsen naar de schepen roeien, kortom, matrozenwerk doen. Op zichzelf had hij daar geen hekel aan. Het stond hem wel aan op die manier vertrouwd te raken met de zeilvaart, waarvoor hij bij de koopvaardij net te laat was geweest. Daar was alles stoom geworden, op enkele oude zeiljammers na, bemand met ouwe kerels, die de overgang van zeil naar stoom niet meer aan konden. Een dienst aan het roer, wanneer de schoener scherp aan de wind zeilde, vond hij heerlijk. Maar bij het overroeien van een loods moest hij van zijn oud-collega's stuurlui soms half smalende, half medelijdende blikken en opmerkingen verdragen, die zij hem van de hoogte van hun brug af toewierpen. Dat stak hem.

Op een dag moest hij een loods naar de Hoboken brengen, de tramp waarop hij drie jaar had gevaren. De schuit ging plotseling voor de wind koersen, zodat hij pezen moest om de jol langszij te brengen. Het kostte zweet en tijd. Toen hij er eindelijk was, stond Kees Krul, die vierde stuurman was toen hij als derde voer, hem boven aan de loodsladder uit te lachen. 'Je had er nogal werk mee, Jan.' Nu snapte Jan dat Kees met opzet het schip meer voor de wind had gebracht, om hem te laten beulen. 'Stik!' riep hij kwaad.

Maar het was veranderd. Van leerling was hij kwekeling, hulploods en later loods geworden. En hij had ontdekt dat er in het vak veel meer zat dan hij ooit gedacht had.

Die tijd op de kanaalschoeners, toen ze naar Noord- en Zuid-Voorland en tot aan Dungeness voeren om schepen op te pikken! De jaren in Vlissingen, toen ze om het hardst roeiden tegen de Belgen, omdat daar, net als vroeger op de Zuiderzee, de eerste het schip naar Antwerpen mocht brengen! Later voeren ze zelfs het zeegat uit, de schepen voor de Schelde tegemoet en toen werden er door Belgen en Nederlanders weer allerlei listen gebruikt om elkaar de loef af te steken. Een loods een trambestuurder, die op zijn dooie akkertje altijd hetzelfde rondje reed? Wat had hij zich vergist!

Een loods, al is hij niet meer dan de adviseur van de kapitein, is de man op wie het aankomt in de kritiekste situaties.

Als stuurman liep hij wacht op volle zee. Zo'n wacht was vaak eentonig. De koers was uitgezet. Er was geen kust, geen klip en geen bank waar je bang voor hoefde te zijn. Tegenliggers en schepen die dezelfde koers voeren, gingen mijlen ver voorbij. Tijdens de vier uur wacht had de stuurman weinig meer te doen dan af en toe een blik op het kompas werpen om zich ervan te overtuigen dat de roerganger koers hield. Aan het eind van de wacht moest hij een paar notities maken over weer en wind in het journaal. Als er wat aan de hand was, moest je de kapitein waarschuwen.

Wanneer je als loods op de brug stond, was er altijd wat aan de hand. Je moest steeds scherp letten op de wind, het tij en de banken. Op in- en uitgaande schepen, die rakelings langs je voeren en soms helemaal onverwacht voor je langs voeren. Daarbij moest je ook rekening houden met de lengte, de breedte, de diepgang, het vermogen en de mogelijkheden, vaak ook de kuren van telkens andere schepen die je te sturen had. Een handzaam kustvaardertje was gemakkelijk te loodsen. Met zeilschepen – die er in het begin nogal eens waren, meest Duitsers en Groningers – kon hij goed omgaan, dankzij het feit dat hij als kwekeling op de kanaalschoeners het zeilen goed had geleerd. Met grote boten was het vaak moeilijk manoeuvreren voor en tussen de pieren, bij de sluis en de bruggen in het Noordzeekanaal, en in de Amsterdamse havens. En op de brug van een groot passagiersschip werd het hem weleens benauwd om het hart, als hij bedacht dat het lot van zo'n groot schip en duizend mensen in zijn handen lag. Eén verkeerd bevel, één aarzeling, één fout wat betreft stroom en tij bij het ingaan van de pieren, kon het naar de bodem brengen. Maar een gevoel van dankbaarheid en trots doorstroomde hem, als hij een mailboot veilig aan de kade had gebracht.

Toen hij nog stuurman was, had hij op een reis naar Archangel Noorse loodsen aan het werk gezien. Het waren duizendkunstenaars, die in de dikste mist en bij een zware sneeuwstorm het schip feilloos door de West Fjord voerden. Rakelings langs steile rotsen en tussen veel verscholen klippen door. Als loods was hij zelf zo'n duizendkunstenaar geworden. In Harlingen, waar hij gestationeerd was, had hij bij dichte mist de schepen door de slenken en geulen van het wad gebracht, vér voordat men met de radar door de wolken kon kijken. In IJmuiden, waar hij het langst loods was geweest, had hij van alles meegemaakt. Verraderlijke stromingen en windstoten, die het schip vlak voor de pier opeens wegzetten; sneeuw- en hagelbuien. Eens was hij bij buiig weer in de havenmond door een rukwind overvallen en op de pier geworpen. Een andere keer was hij met een wrakke kof in een hoos terechtgekomen, die het scheepje stuurloos gemaakt had. Hij had in de Amsterdamse havens moeilijke situaties meegemaakt met lege schepen, die je bij harde wind niet uit de wal kon krijgen óf niet van de wal kon houden. Hij had benauwde ogenblikken beleefd in het Noordzeekanaal met een tegenligger bij de Velser brug, terwijl hijzelf met een groot schip nauwelijks op koers kon blijven.

Jane was bij ruw weer altijd bang dat hij een ongeluk zou krijgen bij het overstappen van de loodsladder in de jol en omgekeerd. En inderdaad kon de kleine jol soms als een bok op hoge golven dansen. Maar het ging altijd goed... behalve die ene keer...

Hij had gedacht dat hij als loods nooit meer op het ruime sop zou komen. Maar het was meer dan eens gebeurd dat hij was meegenomen, omdat de loodsjol niet langszij kon komen vanwege de holle zee. Een keer naar Dover, en een keer naar Hull en het had een haar gescheeld of hij was meegegaan naar de Bermuda's. Op het nippertje had men hem nog op Wight aan land kunnen zetten. Het bangste avontuur had hij meegemaakt, toen hij werd meegenomen naar Bergen in Noorwegen, tijdens een storm waarin een schoener met dertien loodsen was ver-

gestapt, waren er drie loodsen afgegeven. Hij stond nu nummer twee.

Toen kromp de wereld in. De horizon werd vaag. De duinen doken weg. De beide vuurtorens, die bakens waren voor de haven, kropen achter dikke nevels. Al snel waren de pieren ook niet meer te zien. 't Leek of de Aldebaran dreef op melk en in melkwitte wolken. Er was geen vijftig meter zicht.

Bij dit weer stopte de loodsdienst vroeger. Vlak voor zijn pensioen was Jan een keer bij mist naar binnen gegaan. Het kon wel op radar, had hij gedacht, en de kapitein van de boot die hij moest beloodsen was het met hem eens geweest. Maar het bleek dat het niet kon. Die reis werd de beroerdste van zijn hele loopbaan.

Nu werd er wel beloodst bij dichte mist. Het ging op de havenradar, die sinds kort in gebruik was. Jan Loots was eens in de donkere kamer geweest op de semafoor, waar de installatie stond. Je zag alles op het zwarte scherm: de pieren, het fort, de haring- en de vissershaven, de sluizen, het spuikanaal en de hoogovens. Ook de schepen, als kleine gouden torren kruipend over een zwarte zee. De gebreken die een scheepsradar had voor gebruik in havens, had deze radar niet. Zijn antenne stond op een vast punt, zodat je niet in twijfel kwam wie er bewoog, hij of ik. En hij stond zo hoog dat het radaroog over hindernissen heen kon kijken. De havenradar had al veel schepen naar binnen geholpen door de dichtste mist. Het ging uitstekend, zeiden de collega's. Alleen, je zag als loods niets. Je moest blindelings vertrouwen op een stem.

Loods nummer vier ging in de jol. Nu stond Jan Loots z'n naam helemaal onderaan in het vak voor beurt.

Nóg dichter werd de mist.

Daar ging de radiotelefoon. 'Hallo, loodsboot IJmuiden... Hallo, loodsboot IJmuiden...'

Schipper Van Dijk meldde zich. Het was een Italiaan, die een loods vroeg.

De beurt was aan Jan Loots. Er was geen twintig meter zicht. 'Hm... hm... 't is dik,' zei hij bedenkelijk. En hij dacht aan zijn laatste reis in dikke mist, die fout gegaan was.

'Zal ik aan een van de andere loodsen vragen of hij dit schip wil nemen?' bood de schipper aan. Er stonden alweer vijf loodsen op het rooster achter Jan.

Maar dit was Jan z'n eer te na. Nu hij weer dienst deed, wilde hij ook *staan* voor zijn werk. Hij greep het linnen koffertje met de portofoon, het draagbare radiotoestel, ingesteld op de speciale golflengte waar de havenradar op uitzond, en stapte in de jol. In een mum van tijd waren ze in dat jolletje alleen op zee. De loodsboot was niet meer te zien en de Italiaan ook nog niet. Ze voeren in een kille en klamme wolk, waaruit een zware stoomfluit klagend riep...

2 DUIZENDKUNSTENAARS

'T Was in de tijd toen Jan Loots als jong stuurman op een tramp, de Troton, voer. Ze waren uit de Oost gekomen met een lading voor Rotterdam. Al zeilend waren ze naar Hamburg gedirigeerd en toen ze daar bijna alles hadden gelost, moest wat over was naar Archangel gebracht worden. Daar zouden ze dan hout laden.

Bij het bekend worden van deze order ontstond er deining onder de bemanning. Het was al een tegenvaller geweest, toen ze de Waterweg voorbij naar Hamburg voeren, maar ze hadden verwacht daarna naar Rotterdam te gaan. Nu werd er aan de lange trip nog een reis naar een uithoek van de wereld vastgeplakt. En 't was oktober. In de late herfst spookte het bijna altijd bij de Noordkaap. Ook liepen ze kans om in te vriezen in de Witte Zee; dan zaten ze de hele winter vast op een plaats waar het bitter koud en donker was. Er werd in het volkslogies gekankerd en gevloekt en ze dreigden allemaal te zullen drossen, maar ze gingen in plaats daarvan zich de avond voor het vertrek stomdronken drinken. Toen ze de volgende morgen heel vroeg vertrekken moesten, waren ze allemaal aan boord. Maar de bootsman kon de kerels niet uit de kooien krijgen. Ze hadden hun roes nog lang niet uitgeslapen. Kapitein De Groot ging toen zelf naar het achteruit. Hij knetterde; het was of er een mitrailleur ging schieten! De matrozen vlogen uit hun kooien en waren van schrik meteen hun kater kwijt. Die morgen was er nog een zure stemming, maar toen ze Helgoland passeerden zongen de grootste belhamels bij het schrapen en verven alweer het hoogste lied.

's Middags kwam er een stevige bries. De zee werd knobbelig en de Triton, die nogal levendig van aard was, slingerde erg, nu ze bijna geen lading had. De kok had moeite zijn pannen op het vuur te houden en 's nachts rolden een paar mannen uit hun kooien. Tijdens zijn wacht had Jan moeite om de goede koers te houden, omdat de diepgang achter groter was dan voor. Er werd de volgende morgen weer erg gemopperd. De Triton werd een rotschuit genoemd en deze reis een rotreis, maar 's middags was dat over. De kapitein liet het schip voorbij Stavanger de Bukke Fjord inlopen en toen voeren ze onder de Noorse kust, beschermd door een hele rij van grotere en kleinere rotseilandjes. Het was nu een kalme vaart, niet onplezierig bij het telkens wisselend uitzicht op de wal. Soms kale rotsen, soms groene weilanden en soms akkerland waarop de boeren bezig waren de laatste oogst binnen te halen. En daarachter blauw-groen naaldhout en hogerop witbesneeuwde bergen.

De dagen waren kort – voor vieren was het al donker op die hoge breedte – maar de klippen waren goed bebakend. Jan had plezier in de navigatie. Het ging van baken op baken, steeds aanhoudend op de witte sector van een kustlicht. Zodra ze een baken voorbij waren, moest de stuurman ijverig in de pilot nagaan, in welke richting hij de volgende moest zoeken. Toen de Triton, hoewel er wit licht voor de boeg was, bijna rakelings langs een steile rotswand voer, maakte Jan zich ongerust en liet hij peilen. Maar de vaart was veilig; vlak naast de rots was het meer dan veertig meter diep. Een volgend keer leek de boot recht op een rots te zullen lopen; de zwarte wand kwam heel dichtbij, ook al liet het vuur een witte sector zien. Jan had de beugel van de telegraaf al in de hand om achteruit te laten slaan, toen er opeens naar bakboord een doorgang bleek te zijn.

De maan ging op. In haar halflicht werden de rotsen, waar zij tussen voeren, indrukwekkend. De sparren op de kammen werden goud doorlicht. De korte golfjes in het besloten water glinsterden als zilver. Dit was romantisch varen. Jan dacht er niet meer aan dat aan een lange reis nog een stuk was geplakt naar een uithoek van de wereld.

Voorbij Kaap Stadt liet kapitein De Groot koers zetten op de West

Fjord. Het kruipen langs de kust, die hier naar binnen boog, duurde hem te lang en het was ook niet meer nodig, want de wind was afgezwakt. Ze voeren langzaam; de oude Triton haalde nauwelijks acht knopen, maar daar was de bemanning aan gewend. Net als Jan, hadden ook de anderen zich neergelegd bij de verlenging van de reis en ze ontdekten ook een goede kant aan het varen naar 't hoge noorden in het late seizoen. Ze mochten iedere middag vroeger de verfkwast en het schraapijzer laten liggen, omdat ze niets meer konden zien. Op de lange avonden hadden ze genoeg tijd om te knutselen en te kaarten; ook kwamen ze op deze reis geen slaap te kort.

Toen ze bij de Lofoden voeren, liep de barometer achteruit. Ook aan de lucht was te zien dat er slecht weer op komst was. Jan was blij dat ze snel in de West Fjord zouden zijn. Kapitein De Groot bromde, toen hij dat zei.'Als je last krijgt, mij roepen, nummer drie,' zei hij streng tegen Jan, toen hij het stuurhuis uitging om zijn hut op te zoeken.

'Jawel, kapitein,' beloofde Jan. Toen de ouwe weg was, bekeek hij de kaart van de West Fjord die op de tafel in de kaartenkamer lag. De fjord was groot en diep. Er waren geen zwermen eilandjes, waar ze tussendoor moesten koersen, zoals tussen Stavanger en Kaap Stadt. Waar was de kapitein bang voor? Misschien bedoelde hij dat de grote West Fjord niet zoveel beschutting gaf, maar tegen de noordwestenwind, die er nu waaide, toch wel. Hij kwam tot de conclusie dat de kapitein zich zorgen maakte om niets.

De wind wakkerde die middag aan, maar ze hadden er geen last van. Het hoge bergland van West-Vaagö gaf een goede beschutting.

Het werd wel erg donker tijdens deze platvoetwacht. Jan kon geen sterretje ontdekken en de zee was inktzwart. Maar de vuren van de Vaagös kwamen helder door. Toen Vlietstra, de eerste stuurman, hem kwam aflossen, kon hij een bestek geven dat met kruispeilingen was gemaakt en rapporteren dat er niets bijzonders was geweest.

Jan bleef die avond niet lang in de mess. Hij ging naar zijn hut, schreef een brief naar huis en ging daarna wat lezen. Al vroeg ging hij naar kooi. Toen hij tegen vieren voor de dagwacht werd gewekt, hoorde hij de mistfluit loeien. Hé, mist? Daar zag het gisteren niet naar uit. Hij kleedde zich snel aan, dronk in de mess een kop thee en trok zijn waakjas aan. In de walegang kwam hij de leerling tegen, die met de tweede stuurman de hondenwacht gelopen had: de jongen leek net een sneeuwpop.

'Sneeuwt het?' vroeg Jan verrast.

'Nee stuur, dit komt van het zonnetje,' zei Fred lollig.

Toen Jan over de hoge drempel naar buiten stapte, sloegen dikke vlokken hem verblindend in het gezicht. Hij moest de weg naar de brug, twee trappen op, al tastend zoeken. In het stuurhuis gaf de tweede hem een bestek op basis van gissingen, want ze hadden geen peilingen kunnen maken. Maar hij hoefde zich geen zorgen te maken, zei Cupido. Ze hadden de ruimte. En andere schepen zouden ook wel blazen; die kon je dus horen aankomen. Verder was er niets bijzonders. Met een 'goede wacht!' verdween hij naar zijn kooi.

Jan bleef alleen met de roerganger achter, die zwijgend achter het stuurrad stond. Zou de kapitein deze sneeuwstorm hebben bedoeld, toen hij gisteren waarschuwde? Dan had de ouwe tóch gelijk gehad. Cupido had gezegd dat hij niet ongerust hoefde te zijn: ruimte genoeg. Hoe wist de tweede dat? Hij had gevaren op kompas en log. Maar eergisteren had de kapitein hen eraan herinnerd dat je in het hoge noorden niet helemaal vertrouwen kon op het kompas. Hoe dichter ze bij de pool waren hoe groter de afwijking. En was het niet vreemd dat de Triton, anders een slingeraap, zo rustig lag, hoewel de wind door de tuigage loeide? Zou dat niet komen omdat ze dicht onder de wal zaten?

Jan veegde langs het raam van het stuurhuis; hij dacht dat de ramen erg beslagen waren, maar dat was het niet. Er kleefde aan de buitenkant een dikke laag sneeuw op de ramen. Hij ging naar buiten en veegde een raam schoon, zodat hij wat uitzicht zou

hebben, maar 't gaf niet veel. In een mum was het weer dichtgesneeuwd. Er was toen nog geen snel roterend glas, waar je bij
alle weersomstandigheden doorheen kunt kijken. Daarom ging
hij op de open brug staan. Van hier af was de bak niet eens te
zien, laat staan een tegenligger of een rots. Toch bleef Jan buiten.
Want in het stuurhuis, ingepakt in sneeuw, kon je ook niets
horen of zien. En nu er geen zicht was, was het oor het enige
middel om gevaar te signaleren. Zijn oren spitsten zich.
Het werd een zware wacht. Hij kreeg het steeds kouder. Zijn voeten werden blokken ijs. Toen hij om acht uur door Vlietstra werd
afgelost had hij het gevoel één bonk ijs te zijn. Op stijve benen
waggelde hij de brug af...

Vóórin de West Fjord mocht er dan ruimte zijn, toen ze er al verder in kwamen, werd hij smaller. Het sneeuwde nog steeds en
het waaide hard, maar de golfslag werd al zwakker. Jan, die bib-
berend van de kou weer op de open brug stond, hoorde opeens
een antwoord op hun fluit, het eerste. Hij schrok ervan en zette
de telegraaf van halve kracht, waar hij al een etmaal op had
gestaan, op langzaam. Hij bleef scherp luisteren.
De tegenligger liep aan stuurboord langs. Of was het geen tegenligger? Liepen zij soms dat schip op? Want terwijl het geluid eerst
sterker was geworden, bleef het nu op één hoogte. En, vreemd,
de ander blies steeds vlak na hen en even lang. Toen Jan een
heel kort stootje gaf, kwam er net zo'n stootje terug.
'Hij aapt ons na,' zei hij tegen de roerganger.
'Ja, krek een aap, stuur,' antwoordde de matroos spottend.
'Niet soms?' vroeg Jan geprikkeld.
'Ik zeg toch ja, stuur! Je zou zeggen: hoe kan-ie 't zo!'
Jan gromde; hij vond de opmerking van de roerganger vervelend.
'Zou het wel een ander schip zijn, stuur?' vroeg de matroos.
'Wat dacht jij dan! Een misthoorn van de wal soms? Die hebben
een andere toon.'
'Ik dacht zo dat het onze eigen echo was.'

23

'Verdraaid!' riep Jan uit. Dat hij dit niet had gemerkt! Hij zette de telegraaf onmiddellijk op stop en riep de kapitein. 'We zitten onder de rotsen, kap, en ik kan geen hand voor ogen zien.'

De kapitein kwam snel en luisterde scherp naar de echo's. 'We zijn dicht bij Horstadt,' concludeerde hij. 'Hou 'm hier maar gaande tot de loodsen komen.' Hij liet de marconist – de Triton was het eerste schip met draadloze telegrafie aan boord waar Jan op voer – de loodsboot oproepen.

Terwijl ze stillagen, bekeek Jan de kaart. Ze waren bij de ingang van de straat tussen het eiland Hinn en de vastewal van Noorwegen, een smal en kronkelend vaarwater. Ze zouden hier vast beter weer afwachten, meende hij. Bij deze sneeuwstorm was het daar geen varen.

De Triton bleef de voorgeschreven mistsignalen geven: iedere minuut een lange stoot, en iedere keer gaf de echo antwoord. Na een poos kwam daar een andere hoorn bij. Het vreemde geluid naderde eerst snel; toen het dichtbij kwam langzaam. Tenslotte dook een zwarte loodsboot uit de sneeuwstorm op.

Die streek een jol, waaruit twee mannen overkwamen op de Triton. Ze klommen meteen naar de brug.

Jan vond dat de Noren zich nogal druk maakten, nu ze toch moesten blijven liggen.

'Halve kracht,' zei een van de twee loodsen rustig. Zodra het schip liep, gaf hij een koers op. En van dat ogenblik af viel Jan van de ene verbazing in de andere over de Noorse loodsen.

Eén bleef op de brug, de andere ging naar kooi. Er waren er twee omdat het traject waarop ze de navigatie moesten assisteren tenminste een etmaal varen was. Bij slecht weer, zoals nu, was het niet mogelijk te zeggen hoe lang de reis zou duren.

De sneeuwstorm was zo dicht dat ze de bak en het hek van hun eigen schip niet konden zien. Van de masten waren alleen de toplichten te zien, zwakke vuren, witachtig geel, waar miljoenen kleine duiveltjes omheen dansten. De fjord werd steeds smaller, dat kon je horen aan de echo van de stoomfluit, die nu van vlakbij werd teruggekaatst. En algauw waren er nog meer echo's. Behalve van bakboord kwam ook van stuurboord het geluid terug en soms van achter. Ze voeren tussen rijen rotsen door, een smalle straat, waar geen wand van te zien was.

De Noorse loods liep rustig in het stuurhuis heen en weer. Hij keek niet eens naar buiten. Dat kon trouwens ook niet, want de ramen van het stuurhuis waren dichtgesneeuwd. Maar hij ging ook niet naar de brug, waar Jan tijdens zijn wacht steeds was geweest, omdat hij het anders niet vertrouwde. Waar hij een sneeuwpop geworden was, even wit en even koud. Het was een vreemd gezicht, een navigator die niet uitkeek en die ook nauwelijks aandacht schonk aan het kompas, nadat hij, toen hij op de brug kwam, had geconstateerd dat de naald zestien graden mis wees. Zestien graden; zo'n afwijking had Jan nog nooit gezien.

Maar waarop koerste deze Noor, nu hij geen walmerk zag en bijna niet naar het kompas keek? Waarop baseerde hij de orders, die hij telkens halfluid en rustig aan de roerganger gaf: een beetje stuurboord, twee streken bakboord... recht zo-ie gaat?

Er was een moment dat Jan de nagels van zijn rechterhand diep in de muis drukte. Hij hoorde de echo van hun stoomfluit recht vooruit. Daar moest een rots zijn; ze liepen erop aan.

'Loods!' riep hij angstig.

Er kwam een lachje op het rustige gezicht van de Noor. 'Ja, 'k hoor hem ook wel.' En tot de roerganger: 'Drie streken stuurboord... Midscheeps... Recht zo!'

Jan stond versteld. Deze loods koerste op het geluid, op de echo, die de stoomfluit in de rotsen wakker riep! Daarop alleen?

Het viel Jan op dat de loods zo vaak op zijn horloge keek. Telkens zag hij in het donkere stuurhuis de radiumverlichte wijzers gloeien. Hij had eerst gedacht aan een gewoonte, die veel mensen hebben. Ze kijken steeds weer op hun klokje en soms denken ze daar zó weinig bij na dat, als je ze vraagt hoe laat het is... ze wéér gaan kijken. Maar deze loods keek niet achteloos of verstrooid op zijn horloge. Hij tuurde er soms een poos gespannen op en gaf dan snel een bevel. Het schoot Jan te binnen dat de loods toen hij op de brug kwam meteen had gevraagd hoe snel de Triton liep bij halve kracht. Hij had daarna in het journaal zorgvuldig de gegevens over het log bestudeerd. Hij navigeerde, begreep Jan, op echo's en op tijd, en bij die tijd op de seconde.

Ze voeren uren in rustig water; de smalle fjord was door de hoge rotsen goed beschermd. Maar de sneeuwval werd niet minder en de storm ook niet. De wind floot door het tuig en soms, blijkbaar wanneer er een tochtgat in de rotswand zat, werd de kop van het schip opzij gedrukt, zodat hard tegenroer gegeven moest worden. Toen er acht glazen vol waren en het dus wisseling van de wacht was, kwam de andere Noorse loods om zijn collega af te lossen. Ze wisselden een paar woorden, de nieuwe draaide even aan zijn horloge, blijkbaar om het precies gelijk te zetten en handelde, toen zijn makker de brug verlaten had op dezelfde manier als hij had gedaan. Hij was weinig spraakzaam. Je hoorde nauwelijks een woord van hem. Alleen de orders die hij gaf en op een vraag soms 'joa', soms 'nei', en 'takk' als hem een kop koffie werd gebracht of een sigaret werd aangeboden. Beter dan zijn collega was aan hem te merken dat hij scherp luisterde naar de echo's en nauwkeurig lette op de tijd.

Na een poos begon de Triton te stampen. Toen zei de loods: 'Volle kracht!' en meteen werd hij van zwijgzaam spraakzaam. Ze waren door de smalle fjord, vertelde hij. Nu hadden ze ruim water voor de boeg en hoefde hij niet langer iedere vadem die ze aflegden te tellen. Hij vroeg aan Jan waar ze vandaan kwamen. Zo, uit de tropen. Daar kon je om deze tijd van het jaar beter zijn dan bij de Noordkaap, waar het altijd mistig was als het niet sneeuwde, zodat je in die smerige gaten steeds op de bonnefooi moest varen.

Op de bonnefooi, zei de loods. Maar Jan begreep dat het wat anders was dan goed geluk. De Triton zou bij deze weersgesteldheid nooit door de fjord zijn gekomen als deze Noren niet op de seconde nauwkeurig konden berekenen hoe lang ze telkens één koers moesten varen. Of wanneer en hoeveel ze telkens van richting moesten veranderen. En als hun gehoor niet zo zuiver en geoefend was geweest, zodat ze aan de echo's de afstand, waarop ze van de rotsen waren, precies konden meten.

Nu ze op de ruimte waren, was het nog moeilijk varen, want de sneeuwstorm hield maar aan en de afwijking van het kompas was hier al weer anders dan voor Horstadt. In vergelijking tot het kronkelen door de fjord ging het nu wel veel beter.

Op de kaart zag Jan dat ze snel een nieuwe fjord zouden bereiken, ten oosten van Senjen, nóg smaller en nóg sterker kronkelend dan die bij Hindö. Dan kwam het er weer op aan, wanneer die eindeloze sneeuwstorm tenminste nog niet was opgehouden.

Jans wacht was afgelopen. Hij had voor spek en bonen op de brug gestaan, alleen met open mond gekeken naar de loods die méér dan kattenogen had. Nu ging hij naar kooi, want als ze onder Senjen kwamen, wilde hij, al was zijn wacht nog niet begonnen, weer op de brug zijn om te zien hoe de Noren het daar voor elkaar kregen.

Een zeeman leert slapen bij een bonkende machine en in een slingerende kooi en hij wordt wakker als het schip tot rust komt. Zo ging het met Jan ook. Het was niet helemaal stil en rustig; de machine dreunde nog en het schip bewoog nog, maar het was niet meer het bonkend stampen en zwaar buizen van daarvoor. Ze hadden een meevallertje en liepen halve kracht, begreep Jan, wakker wordend. Dan moesten ze onder Senjen zijn.

Hij sprong z'n kooi uit en ging naar boven. Het was nog altijd hetzelfde weer. Een dichte sneeuwval en geen honderd meter zicht. De stoomfluit riep weer echo's op, waarnaar de loods die dienst had luisterde met het horloge in de hand.

Hij was meer gespannen dan gisteren. Zijn bevelen aan de roerganger en aan de man die aan de telegraaf stond waren kort en scherp. Jan keek in de pilot, wat die zei van het vaarwater waarin ze nu waren. Er stond in dat er een sterke stroom liep, steeds wisselend met het tij, die ze bij eb tegen en bij vloed mee hadden. Die sneller werd als het tij doorzette en minder was als het eb werd. Die wisselende stroom moest de loods dus ook in zijn berekening verwerken. Ook de afstand waarover steeds weer een nieuwe koers moest worden gevaren en de snelheid van het schip. Dit was onmogelijk te berekenen, zelfs niet door een wiskundig wonder, omdat veel factoren alleen te schatten waren.

Met oprechte bewondering volgde Jan de loods, die maar een enkele keer zijn neus buiten het stuurhuis stak voor het luisteren naar de echo's van de stoomfluit. Hij gaf zijn aanwijzingen zo rustig, alsof ze bij helder daglicht voeren. Drie streken stuurboord... midscheeps... beetje bakboord... recht zo!

De echo's, die steeds snel volgden op een stoot en van verschillende kanten kwamen, verraadden hoe smal de fjord was en hoe veel bochten er in zaten. Maar de Triton voer door op halve kracht. Zelfs toen er een tegenligger aankwam, waar alleen de fluit van te horen was. Er drong een kakofonie van doffe stoten door de mist, afkomstig van twee fluiten en hun echo's, maar de loods liet rustig doorstomen.

Tenslotte hield de sneeuwstorm op. Jan veegde een dikke sneeuwlaag van de ramen van het stuurhuis af. 't Was nacht. Om deze tijd werd het nauwelijks licht bij de Noordkaap. Er schenen vuren: vóór de boeg aan stuur- en bakboord en achter. Rode vuren die gevaar betekenden, groene vuren die waarschuwden dat te veel naar stuurboord werd gehouden.

Er waren maar een paar witte vuren waar veilig op gekoersd kon worden. Zelfs bij het goede zicht van nu was het uitkijken en opletten in de smalle en steeds kronkelende fjord. En door deze doolhof hadden de Noorse loodsen het schip doen varen zonder iets te kunnen zien. Zonder dat de Triton een schrammetje had opgelopen, of er een schokje was gevoeld. Jan dacht dat hij na jaren varen op de zeven wereldzeeën een goed zeeman was geworden, maar bij de Noorse loodsen vergeleken voelde hij zich een stumperd. Dat waren duizendkunstenaars! Hij zou nooit kunnen wat zij konden.

3 LEERLING OP EEN SCHOENER

D e jonge stuurman grote vaart, die aangenomen was als leer-ling-loods, liep met een vreemd gevoel de lange kade langs naar de hoek voor het loodswezen. Wat hij zag deed hem denken aan de 'port des voiles' in Tunis. Daar had hij veel volschepen, schoeners en barken zien liggen. De zeiltijd was in de Afrikaanse havens nog niet voorbij. Hij had gedacht dat zoiets alleen in Azië en Afrika en misschien in Rusland nog te vinden was, niet in West-Europa. In de Nederlandse handelshavens lag maar een enkele keer een verdwaalde zeiljammer tussen dozijnen stomers. Maar hier leefde die oude tijd nog. Loodsschoeners en loodskotters vulden deze hoek. Een enkele stoombarkas, gebruikt als afhaalboot, vertegenwoordigde de nieuwe tijd. Een ouderwets zaakje, vond Jan Loots. Hij voelde zich teleurgesteld; hij had bijna spijt van zijn besluit.

Daar lag de schoener nummer XII, waar hij als leerling op was geplaatst. In de masten zaten een paar jonge mannen, de een met een schraapijzer, de ander met een teerkwast aan het werk. Op het voordek waren een paar bezig met het herstellen van zeilen. Toen Jan van de loopplank op het dek sprong, zat daar een oudere man met z'n rug tegen de grote mast te splitsen. Hij keek niet op naar de nieuw aangekomene.

'Kun je me ook zeggen of de kapitein aan boord is?' vroeg Jan hem.

Nu keek de oude man op. 'Ik ben de schipper,' zei hij rustig.

Jan stamelde verschrikt een verontschuldiging. Hij stelde zich voor. 'Jan Loots, leerling-loods, geplaatst op deze schoener.'

'Ik weet ervan,' zei schipper Plaatsman, zonder in te gaan op de excuses; hij scheen zijn onbeleefdheid nauwelijks te hebben gemerkt. 'Trek eerst je werkplunje maar aan. Voorin is het logies voor de bemanning. De kok is daar ook. Die zal je wel wegwijs maken.'

Jan droeg zijn plunjezak naar het vooronder. De kok wees hem z'n kooi, een van de twaalf, en ook een kastje waarin hij z'n plunje kon bergen.

Toen hij klaar was, ging hij weer naar het dek en presenteerde zich aan de schipper, nu op de manier die hij bij de koopvaardij geleerd had tegenover meerderen.

Schipper Plaatsman leek nu even weinig te letten op zijn correctheid als daarnet op zijn uit de hoogte doen. Hij zei: 'Het achterdek ziet er nogal smerig uit; er is turf en cokes aan boord gebracht. Zwabber de boel daar een beetje.'

Jan zette de tanden op elkaar. Dekzwabberen! Hij had het nog nooit gedaan, als leerling-stuurman niet eens. Dat was geen werk voor aanstaande officieren. Voor leerling-loodsen wel? Hij wilde protesteren.

Maar de oude schipper ging door met fijn bindtouw te winden om het uiteinde van een manillatros, zonder verder aandacht aan de leerling te schenken.

Jan droop af en zocht naar de stokdweil, die hij algauw vond. Hij dompelde hem in de haven en haalde de dweil over het planken dek.

Intussen verbeet hij zich; dit was matrozenwerk. Een lichtmatroos kon het doen. En hij was officier bij de grote vaart geweest, verantwoordelijk voor de navigatie van een groot schip. Nu was hij net zover als een matroos, en dat nog wel op een oud houten schip, onder een oude schipper die hij voor bootsman had aangezien. Hij was gek geweest deze baan te willen hebben om Jane.

Terwijl hij bezig was, kwam schipper Plaatsman naar hem toe. 'Je hebt dit werk zeker nog nooit gedaan,' zei hij rustig.

'Nee, nooit,' antwoordde Jan, met moeite zijn ergernis verbergend.

'Dat kan ik zien. Je kliedert en je aait; dit is werk van niks, zeun.'

Jan werd rood. Doe het dan zelf, als ik het je niet naar de zin doe, wilde hij zeggen, maar hij hield zich in.

'Geef mij die stokdweil eens,' ging de schipper door.

Jan gaf hem en de schipper dompelde de dweil in het water en liet hem toen op zijn armen rollen. Het ging vlug. De dweil leek op een snelle molen,of op een stuk vuurwerk, waaruit vonken spatten, zo kleurig was de krans van druppels in het zonlicht. Toen haalde Plaatsman de dweil met vlotte streken over de planken van het dek, die gingen blinken.

'Nu jij!' zei hij na een poosje.

Zo leerde Jan dekzwabberen, nadat hij stuurman was geweest. Het was een zure appel.

Maar de volgende dag keek hij al anders tegen zijn nieuwe baan aan. Ze voeren uit. Het voor en achter ging bijna net zo als op een stoomboot, en deze keer ging het heel gemakkelijk, want de wind was uit de wal. Bij het zeil maken had hij maar de bevelen uit te voeren, die hem gegeven werden: deze val hijsen, die vastzetten. Het was zwaar werk, maar hij had er plezier in, toen het ene na het andere zeil was uitgezet en de schoener, die langzaam de haven uitgevaren was, steeds sneller ging rijden op de witgetopte golven. De kluiver en de buitenkluiver waren uitgezet en de stagzeilen waren uitgespannen tussen steng en gaffel. Met vol tuig leek de schoener op een zwarte zwaan met witte vlerken. Hij bruiste door de zee.

Dit ging niet langzamer dan een stoomboot, integendeel. Het log wees nota bene twaalf knopen. Verschillende tramps waarop Jan gevaren had, haalden met hun ronkende machines lang niet de snelheid, waarmee de XII de golven kliefde.

De schipper riep hem om het roer te houden. Nu kon het hem niets schelen dat hij werk moest doen, dat een stuurman bij de grote vaart altijd door anderen liet doen... Hij wilde graag weten wat het schip kon. Toen de kompasroos raar ging draaien, zodra hij het stuurrad vastpakte, voelde hij zich onzeker. Het schip trok hard naar lij. Om koers te houden moest hij flink roer geven en op een rukwind reageerde de schoener veel heftiger dan een stoomboot. Maar al snel had Jan deze nukken door en toen werd het sturen een plezier. Een zeilschip lééfde, voelde hij. Het vocht of speelde met de zee en de man aan het roer vocht of stoeide mee. Hij gaf er niets om dat het fris was, dat de schoener geen stuurhuis had en een spatzeiltje de enige beschutting was tegen regen, wind en overkomend water. In weer en wind op het dek voelde je je veel nauwer met de zee verbonden. Zo sturend op een zeilschip was je één met het vaartuig en de zee.

Ze moesten door de wind. Schipper Plaatsman riep zijn mannen aan de zeilen. Toen ze op hun posten stonden, volgden zijn bevelen snel op elkaar.

'Bakboord aan boord je roer... Fokken bak...! Laat schieten...! Haal door die schoten, haal door...!'

De schoener draaide bij. De snelle vaart was er ineens uit. Hij lag met de kop in de wind met heftig klapperende zeilen en scheen te aarzelen in welke richting hij zich zou draaien. Toen viel hij op zijn andere wang en meteen schoot de wind weer in de zeilen. Hij begon weer te rijden op de golven. Flinke buizers kwamen over, een brede boeggolf liep aan beide kanten van de kop; het zog kolkte achter het hek. De zeilen, die onder leiding van de schipper goed gehesen waren, stonden allemaal strak: niet een dat klapperde of er slap bij hing.

Jan had vaak minachtend de schouders opgehaald over oude zeelui, die scholden op de stoomboten met hun lawaai en vuile troep. Nu begreep hij waarom ze alleen maar op een zeilschip wilden varen. Hij voelde zich ook bevrijd van het almaar bonken van de drijfstangen en het eeuwige gedreun van de schroefas in zijn koker. Vrij van de stank van stoom en rook en van de vuile troep van roet, vet en kolenstof. Hier waren geen stoomluizen of roest, die je op een stoomboot altijd in de haren vlogen of aan de kleren kleefden. Het houten dek, vanmorgen nog gezwabberd en geschuurd, was blank als een vrouwenhuid en je hoorde niets anders dan het bruisen van de golven en het fluiten van de wind in het want. Wel, dat was zeemuziek! Jan was opeens verzot geworden op de zeilvaart. Hij had het er nu best voor over van stuurman tot leerling te zijn teruggezet en het werk van een matroos te moeten doen.

Ze zeilden naar de ingang van de Straat van Dover om daar de te beloodsen schepen op te wachten. Met de loodsvlag in top en de driekleur op het hek kruisten ze rond, zoekend naar een schip dat een loods van hen wilde nemen. Bij het mooie zomerweer met zon en wind was dit plezierig varen, waarbij Jan veel over de zeilvaart leerde. Schipper Plaatsman liet de schoener nu eens overstag gaan en dan halzen en legde het schip soms aan de wind om het onder klein zeil hoogte te laten houden zonder dat het schip van plaats verwisselde.

Bij Dover was het gezellig druk; er voeren honderden schepen de Straat in en uit. Al de vaart voor en van Londen, Bremen en Hamburg ging hier langs, en verder alles wat van het zuiden kwam en naar een Deense of Noorse haven moest. En niet te vergeten de koopvaart op de havens van de lage landen. Wanneer een schip dat naar Nederland ging, een blauwe vlag in witte rand hees, - het internationale sein 'ik wens een loods' - zeilde de XII ernaar toe, streek een jol en werd er een loods aan boord geroeid.

Op de eerste dag van hun tocht in de buurt van Dungeness gaven ze drie loodsen af van de twaalf die ze aan boord hadden. De tweede dag volgden er twee. Op de derde dag werd het niets, omdat er een dichte mist hing, die, als hij de scheepvaart niet totaal verlamde, in elk geval het beloodsen hier onmogelijk maakte. Op de vierde dag haalden ze hun schade in door vijf loodsen over te zetten en toen liepen ze meteen in Dover binnen om een telegram naar het vaderland te sturen: 'Stuur aflossing'. Diezelfde dag raakten ze hun laatste loodsen kwijt en zetten dus koers naar het vaderland, hun post voor het ogenblik onbezet achterlatend. Op de hoogte van het lichtschip Goeree kwam ze de loodsschoener IX tegen, die met twaalf nieuwe loodsen aan boord met volle zeilen onderweg was naar het Kanaal. De XII liep veilig binnen.

Jan had op deze tocht van alles moeten doen: behalve dekzwabberen ook verven en teren en psalmzingen, het dek met puimsteen schuren. Hij was de masten in en de boegspriet op geweest voor het werken aan de zeilen. Hij had de jol geroeid, waarin de loodsen naar de schepen gingen. Dit was allemaal matrozenwerk. Maar hij had ook zon en sterren geschoten en bestek gemaakt, het logboek bijgehouden en stuurmanswacht gelopen. Zo was hij dus matroos en stuurman tegelijk geweest. Behalve het psalmzingen, waarbij zijn rug en knieën pijn deden en het hem groen en geel voor de ogen werd, was het hem goed bevallen. Hij was op deze eerste reis al aardig wegwijs geworden in de wirwar van vallen en blokken van het schoenertuig, dat hem eerst een chaos had geleken. Hij had plezier gekregen in het hijsen van de zeilen en aan zijn wacht aan het roer. Weer thuis gaf hij, net als de oude zeelui, af op de stoomboten met hun stank, vuil en lawaai en noemde hij de schoener XII een scheepje voor je leven.

Het bleef niet altijd bij matrozenwerk en af en toe een stuurmanswachtje op de schoener. Toen schipper Plaatsman vond dat hij voldoende met een zeilschip vertrouwd was om als dat zo uitkwam een schoener, bark of volschip binnen te brengen, mocht hij samen met een loods aan boord van een thuisvaarder gaan om daar de kunst af te kijken. Het eerste schip waar hij als leerling-loods opstapte, was de Thermopylé, een mooie naam voor een vuil Grieks schip. Bij het aan boord gaan klom hij langs een scheepshuid die meer uit roest dan uit verf bestond. Aan dek struikelde hij over de rommel en in het stuurhuis had hij nauwelijks plaats om te staan. Er hingen luchtjes uit de kombuis, van slecht geluchte hutten en van goedkope sigaretten. De kop waarin een hutjongen hem koffie bracht, was te vies om aan te pakken. Toen Jan een paar uur in het stuurhuis had gestaan – voor spek en bonen; in volle zee had de loods geen werk – voelde hij overal jeuk, alsof een leger van springers hem bestormd had. Ze aten het middageten in de officiersmess, waar het nog smeriger was dan in het stuurhuis, en de spaghetti vond hij slijmerig. De Thermopylé had alles wat een stoomboot maar voor naars kon hebben: roest, roet, vet en vuil en het was er een vreselijk lawaai, want de versleten machine bonkte, de schroefas rammelde in een slecht sluitende koker en het stuurrad knarste. Met heimwee dacht hij aan de schoener XII, zo schoon dat je wel van het dek zou kunnen eten.

Toen ze voor de Waterweg kwamen, stond Jan naast de loods op de brug, scherp luisterend naar zijn bevelen. Uit de boeken die hij de laatste maanden had moeten leren, kende hij alles van de Waterweg: de stromen vóór en in de pieren, alle ondiepten en de walmerken waarop gevaren moest worden, bij dag en bij nacht. Het was nu vloed; ze werden dus naar het noorden afgezet, daarom moesten ze op de zuiderpier aanhouden. Maar ook al wist je deze dingen uit de boeken, het kwam er nu op aan ze in de praktijk toe te passen en daarbij rekening te houden met de grootte, het vermogen en de diepgang van het schip. De Griek mat zesduizend ton en had een diepgang van tweeëntwintig voet. Je moest dus nergens komen waar geen zeven meter water stond. Jan hoorde de loods rustig zijn aanwijzingen geven, terwijl de Griekse kapitein achter hem zat te slapen. Koers houdend op de zuiderpier kwam de boot vanzelf op de havenas. Nu stonden het station Hoek van Holland en de vuurtoren in elkaars verlengde. 'Zo hou je 'm maar,' zei de loods tegen de man aan het stuurrad. 'Ay, ay,' bromde die. Juist toen de Thermopylé naar binnen wilde gaan, kwam er een grote Engelsman naar buiten. De loods liet heel langzaam opdraaien om het schip op koers te houden. Zodra de Engelsman zijn kop buiten de pieren had, stoomden ze op. 't Was laagwater, dus konden ze tegen de stroom van de rivier opdraaien. Het was makkelijk varen op steeds andere bakens aan de wal: de toren van Maassluis, daarna die van Vlaardingen, toen Schiedamse merken. Maar de drukke vaart gaf problemen. Behalve veel tegenliggers waren er veel verschillende soorten kleine schepen, die uit de een of andere haven de Waterweg dwars overstaken, soms vlak voor hun boeg. Jan bewonderde de loods, die de grote kast rustig door de wirwar loodste. Hij dacht dat hij het nooit zou kunnen.

Voor Delfshaven had de buitenloods zijn taak erop zitten. Een havenloods stapte aan boord om de Thermopylé naar zijn ligplaats te brengen. De Griekse kapitein vroeg de loods en leerling om met hem in zijn kajuit een glas wijn te drinken op de behouden vaart, maar de loods bedankte, hij had haast. Jan was daar blij om. Hij had 's morgens even in de kapiteinskajuit gekeken. Het was er vroeger, toen de Thermopylé nog onder Deense vlag voer, luxueus geweest, maar nu was het verguldsel van de wanden gebladderd en het rode pluche was bijna zwart, en vettig vuil. Hij was bang dat, als hij daarop ging zitten, er nog veel meer springers in zijn kleren zouden komen dan die hem nu al plaagden.

Het tweede schip dat hij - een paar weken later - samen met een oudere loods binnen moest brengen, zag er heel anders uit. Het was een Zweed. Aan dek was alles netjes. In het stuurhuis glom het koper en blonk het glas. De koffie was goed en de kop en schotel waren schoon. Bij de lunch kon je krijgen wat je wilde. Er stond een tafel in het midden van de mess, met wel twintig verschillende gerechten. Je kon maar uitzoeken.

Toen ze voor de Waterweg kwamen, zei loods Goris tegen Jan dat hij de boot maar binnen moest brengen. De leerling kreeg het benauwd. Uit het boekje wist hij alles van het getij en van de banken vóór de Waterweg en van de stroom en de ondiepten binnen de pieren, en op de semafoor herkende hij veel tekens over de stand van het water en het verloop van het getij. Ook had hij de vorige keer, op de Thermopylé, goed opgelet. Maar deze Zweed was groter en had meer diepgang en het was nu eb. Je kon onmogelijk precies berekenen hoeveel de stroom het schip dwars afzette; je moest dat schatten, en ook de werking van de rivier en het getij binnen de pieren. Het lag op zijn lippen om tegen Goris te zeggen: 'Doet u dit maar,' maar de oude loods had

4 VAN LEERLING TOT HULPLOODS

T oen Jan van leerling loods werd, trouwden Jane en hij. Ze maakten er geen grote drukte van. De stoet die naar het stadhuis en de kerk reed, was maar kort. Hun huis, een bovenwoning aan een saaie Rotterdamse straat, was heel eenvoudig. Want Jan zou wel loodswerk moeten doen, maar eerst nog hulploods heten en naar die rang betaald worden. Als stuurman had hij veel meer verdiend. Jane was liever zuinig met haar man geregeld thuis, dan veel geld te hebben en Jan maar weinig thuis. En Jan was, nu hij door de zure appel van de leertijd heen was, met zijn nieuwe beroep tevreden, al zat het hem dwars dat het nog lang zou duren, voor hij de rang en het loon van een loods kreeg.

Drie dagen na hun trouwen stapte hij opgewekt op de loodsboot voor zijn eerste dienst. Met trots keek hij naar het bord voor *beurt* en *reis* aan de muur van het stuurhuis. Daar stond nu ook zijn naam tussen de andere. Op een gloednieuw bordje, pas geschilderd. Jan Loots.

Het stond nummer drie van onderen in het vak beurt. Twee collega's waren nog voor hem. Dan zou hij in de jol stappen om op de boot gebracht te worden, die hij zou moeten binnenbrengen, voor het eerst alleen.

Hij ging naar kooi, maar sliep onrustig. Als het druk was zou hij deze nacht nog aan bod komen. Hij hoorde de jol strijken, een keer, en nog een keer. Twee loodsen waren dus weggebracht; nu stond hij nummer één. Hij viel weer in slaap. Op een gegeven moment schrok hij wakker; hij werd geport. Snel trok hij zijn kleren aan en ging naar boven. Maar de leerling die de wacht had, keek hem met grote ogen aan. Het was een droom geweest. Er kwam die nacht geen schip meer om een loods te vragen. De volgende morgen was Jan steeds aan dek, uitkijkend naar de schepen die uit de straat van Dover kwamen. Er kwamen er genoeg, maar niet een had een Nederlandse loods nodig. Toen ze 's middags aan het eten waren, kwam een leerling waarschuwen: 'Jan, een schip!'

Hij sprong op. Goris, die een paar nummers na hem kwam, zei dat hij best zijn bord leegeten kon; er was geen brand. Hij ging weer zitten en nam nog een paar happen, maar hij had geen rust. Hij schoot z'n jas aan, zette z'n uniformpet op en ging naar boven, nieuwsgierig wat voor schip hij zou moeten binnenbrengen; het kon variëren van een kleine kustvaarder tot een grote passagiersboot. Toen hij het zag, schrok hij. Een viermast volschip dreef bijgedraaid langs de loodsboot. Moest hij daarop?

'Als je d'r tegen opziet, mag je je beurt voorbij laten gaan; dan neemt De Ridder deze,' zei de schipper.

Jan weifelde. Op zo'n groot zeilschip had hij nog nooit gevaren. En nu moest hij het beloodsen. Het zou vast lastig sturen zijn. Maar het zou een slechte indruk maken, als hij een taak liet schieten! Toch zou dat minder erg zijn dan wanneer hij brokken maakte. De Ridder moest dit fregat maar nemen.

'Neem 'm; je kunt het,' fluisterde iemand hem in 't oor. 't Was Goris, die aan dek was gekomen.

Dit vertrouwen gaf Jan moed. Hij stapte in de jol, die snel gevierd werd. Twee leerlingen, pas aangekomen, roeiden hem naar het schip. Hoe dichter hij erbij kwam, hoe meer hij onder de indruk raakte. De masten waren torenhoog; het tuig leek op dicht netwerk; de zeilen, in de wind gezet nu het schip bijgedraaid lag, kon hij niet tellen, zoveel voerde het fregat er. De loodsschoener was een simpel sloepje in vergelijking tot dit trotse schip. Hoe zou hij er ooit mee kunnen manoeuvreren? Hij had spijt dat hij naar Goris had geluisterd in plaats van schipper Plaatsmans raad te volgen.

De jol schoot bij het fregat langszij. Jan klom de ladder op. Toen hij op het dek stond, aan de voet van een van de dikke masten ker dan noord. Hij kon de Waterweg nauwelijks bezeilen. Als het schip afviel en hij zou proberen op te loeven, gingen de zeilen klapperen dan had hij het schip niet meer in zijn macht. Bovendien was de wind vlagerig, nu eens heftig, dan weer zwak. Ook hing er om de noord een zware bui. Maar het ergste vond Jan dat de Duitse kapitein achter hem stond, zwijgend en trots, Hij voelde zijn stekende ogen als messen in zijn rug.

Zich inspannend om zijn stem rustig te doen klinken, bracht hij het schip aan de wind en liet het lopen in de koers Scheveningen. Ik ga te hoog, dacht hij, veel te hoog. Ik maak een omweg die niet nodig is. En straks breekt de bui in het noorden los, voordat ik binnen ben. Elk ogenblik verwachtte hij een sarcastische opmerking van de kapitein, maar die zei niets. Hij hoorde alleen zijn stappen achter zich, rusteloos het dek op en neer lopend; hij voelde zijn stekende ogen in z'n rug.

Nu moest hij door de wind. Dan kon hij de Waterweg bezeilen, dacht hij.

Hoe zou dit gaan? Gisteren hadden de matrozen op de bevelen van hun officieren vlot gewerkt en het schip had prompt gehoorzaamd. Zou het nu ook zo gaan, als hij het bevel gaf?

'Door de wind!' riep hij scherp.

Hij stond versteld over de uitwerking van zijn woorden. Een bootsmansfluitje snerpte. De matrozen klommen als katten in het want. Officieren van de Möwe gaven bevelen voor elk detail van de manoeuvre. Het schip ging overstag en liep daarna op de noorderpier aan. Hij liet een beetje bakboord geven. Het schip verdroeg dat. Tot zijn verrassing merkte Jan dat hij de Möwe in zijn macht had.

De bui, die allang in het noorden had gehangen, brak los. Jan rilde in de kille regen, veel meer van onrust dan van kou. De wind die uit de bui kwam gaf eerder voor- dan nadeel. Ze konden krapper zeilen. Maar de gutsende regen hing een wit gordijn om het schip, waarachter de walbakens en zelfs de pieren schuil gingen. Jan had, voordat hij de bakens niet meer kon zien, op het kompas gecontroleerd welke koers hij moest varen. Nu hield hij die ook zonder walzicht. Het bleef toch gevaarlijk zeilen. De stroom hoefde maar een beetje meer of minder te doen dan hij geraden had! Er kon ook ieder ogenblik een tegenligger uit de regen opduiken. Hij kon hier niet voor anker gaan; ze zaten midden in het vaarwater. Afhouden ging ook niet, ze voeren te dicht onder de pieren om een zwaai naar tegenkoers te maken. Doorgaan was het enige.

Hij had de uitkijk ingepeperd geen ogenblik zijn aandacht te laten verslappen. Zelf keek hij ook in spanning uit.

'Schip vooruit!' klonk een schreeuw van de boeg.

Jan stond op het punt bakboord roer te laten geven om de tegenligger aan loef te passeren, toen hij het bevel plotseling veranderde. 'Stuurboord roer!'

De kapitein, die zich tot op dat moment als een schaduw op de achtergrond had gehouden, stond plotseling naast hem. 'Stuurboord?' vroeg hij. 'We houden toch de loef?'

Als Jan toen een moment geweifeld had! Maar hij was zeker van zijn zaak. 'Stuurboord, kapitein! Het is geen schip dat tegenligt. Het is de noorderpier.'

Geen minuut daarna zeilden ze rakelings langs de noorderpier naar binnen...

'Schip vooruit!' galmde de stem van de uitkijk weer.

Dit keer was het een schip, een grote vrachtboot, die naar zee ging. Jan liet nu bakboord roer geven en ze haalden de loef. Met volle zeilen scheerden ze langs de boot.

Verder konden ze niet zeilen. Het hoefde ook niet. Er was sleepbootassistentie op de Waterweg. Jan liet zeil strijken. Een kwartier daarna had een tug hen op sleeptouw. Toen was het zware werk gedaan.

De strenge kapitein kwam naar Jan toe. 'Bedankt, loods,' zei hij, hem de hand toestekend.

'O, niks te danken,' mompelde Jan, alsof het hem onverschillig liet.

'Een borrel?' nodigde de kapitein uit.

'Dan schoot an voor alle hens, kapitein!' riep Jan uit. 'Zonder uw kranig volk had ik het nooit gered.'

'Het viel je dus niet mee?' vroeg de oude gezagvoerder.

'Ik heb 'm geknepen, kapitein,' bekende Jan.

'Ei toch?' verwonderde die zich. 'Ik dacht: die Hollander is een blok ijs.'

Jan glimlachte. 'Een blok ijs?' Hij nam z'n pet af en veegde met zijn zakdoek het zweet eerst van zijn voorhoofd en daarna uit de klep. 'Ik geloof dat ik geen droge draad meer aan mijn lijf heb van angst dat het mis zou gaan. Dit is de eerste keer van mijn leven dat ik op een volschip sta, kapitein.'

'Dan heb je het er goed afgebracht,' zei de kapitein. En luider: 'Hofmeester, schoot an voor alle hens.'

De matrozen juichten.

5 FELLE STRIJD MET DE BELGEN

Eindelijk werd Jan loods. Hij kreeg als standplaats Vlissingen. In de kleine stad kregen ze een groter, vrijstaand huis, met een tuin. Het was ook nodig, want hun huwelijk was gezegend. Ze hadden al drie kinderen en een vierde werd verwacht.

Het loodswerk was hier interessant. Niet alleen dat de vaart op de Schelde – de meeste schepen waren voor Antwerpen bestemd – door al de platen veel moeilijker was dan op de Waterweg, er was ook scherpe concurrentie tussen het Belgische en het Nederlandse loodswezen, beide gestationeerd in Vlissingen.

Wanneer een Nederlands schip in de Scheldemond verscheen, was het geen vraag wie de loods moest leveren, natuurlijk het Nederlandse kantoor. De Belgische schepen hadden ook liever een landgenoot. Maar België heeft maar een kleine koopvaardijvloot. Aan haar alleen konden de Belgen geen droog brood verdienen. Franse schepen kozen ook meestal voor Belgische loodsen. Verder waren er een paar scheepvaartmaatschappijen met vaste diensten op Antwerpen, die voorkeur hadden voor de ene of de andere loodsdienst, of bij toerbeurt Nederlandse en Belgische loodsen kozen voor hun schepen.

Maar een belangrijk deel van de kapiteins die de Schelde opvoeren liet het onverschillig of Nederlanders of Belgen hen naar binnen loodsten. Voor hen gold: degene die er het eerst is krijgt de klus. En in die gevallen was er een strijd tussen de Nederlanders en de Belgen wie het eerst was.

Het was een ruwe winterdag. Er stond een stevige bries uit het zuidwesten; de Schelde was grauw met veel vuil schuim; het zicht was matig.

'Schip in 't zicht!' riep een man van de kustwacht naar het wachtlokaal van de loodsen. 'Jan Loots aan beurt,' liet de leerling die de lijst bijhield erop volgen.

Jan stond al voor het grote raam dat uitkeek op de Schelde. Het schip was vaag te zien. Een natievlag was niet te ontdekken, ook niet een seinvlag voor een loods. De afstand was te ver en het zicht te slecht. Maar meer nog dan naar een vlag, keek Jan naar het silhouet van het schip, dat wel te zien was. Het was geen Belg – hij kende alle Belgische schepen. Hij meende dat het ook geen Nederlander was en ook niet een van de vaste klanten, die of de Belgische, of de Nederlandse loodsdienst kozen. Maar het kon een Fransman zijn; dan kregen de Nederlanders de klus niet.

'Het is, geloof ik, een Fransoos, Jan,' zei een collega-loods. 'Je mag er blij om zijn; het is hondenweer.'

Jan gaf geen antwoord. Hij bleef turen. 'Tot ziens,' zei hij opeens en trok snel zijn duffel aan.

'Herken je 'm?' vroeg de loods.

'Ja. 't Is die Argentijn, die we van het voorjaar ook ingepikt hebben. We gaan 't weer proberen.'

Hij liep vlug naar het wachthuisje van de roeiers aan de kade, waar twee mannen bij de kachel zaten. 'Jongens, erop uit!' riep hij.

De Belgen waren hen voor. Toen Jan zijn roeiers aanzette: 'Haal op,... gelijk! Hup... twee!' waren hun concurrenten al in de havenmond.

In de haven, beschermd door de pieren, waar het water vlak was en er weinig van de wind te merken viel, schoten ze goed op. Maar zodra ze buiten waren, ging de jol springen als een jonge bok en werden de roeiers telkens overspoeld door zware buizers. Ze hadden wind en zee recht op de kop.

De slagroeier deed zijn best. Hij was een oudgediende, die de Schelde op z'n duimpje kende en al had hij al duizend keer tegen de Belgen geroeid, hij was nog steeds fel en vinnig. Maar de andere roeier, een pas aangekomen leerling, die in de haven goed geroeid had, ging, nu ze op woelig water waren, aan het prutsen. Soms scheerde zijn riem over een golftop en schepte lucht, zodat hij bijna achterover viel; dan weer stak hij veel te diep.

Jan, aan het roer, schatte de afstand die ze op de Belg achter lagen. Die werd eerder groter dan kleiner. Zo zouden ze het nooit winnen.

'Kun jij sturen?' vroeg hij aan de leerling.

'Beter dan roeien,' antwoordde hij.

Jan trok z'n jas uit; ze wisselden van plaats. Door het slingeren van de boot ging het vrij stuntelig, waardoor ze nog meer tijd verloren.

De Belgische jol was nu een heel eind voor.

Maar nu had Jan een riem en met de slagroeier vormde hij een sterk span. En de leerling stuurde beter dan hij roeide. Ze schoten goed op.

Maar de Belg had nog een grote voorsprong.

'Zet 'm op, Maarten,' vuurde Jan zijn voorman aan. 'Zet 'm op! We laten ons niet kisten door die Belgen.'

Ze roeiden beiden hard, hun voeten schrap tegen de klampen op de bodem. De riemen bogen onder de zware druk.

De Belgen, die hun concurrenten sneller zagen gaan, spanden zich nu ook tot het uiterste in. De beide bootjes boksten tegen de golven; de roeiers werden telkens door buiswater overspoeld. Jan en Maarten wonnen zichtbaar op hun concurrenten.

'Haal op, gelijk, één twee,' telde de leerling, die best op dreef was, nu hij in plaats van roeien sturen mocht.

Ze liepen al meer op de Belgen in. Ze kwamen met hen gelijk. Ze kwamen hen tenslotte voor.

Toen keek Jan over zijn schouder achterom naar de Argentijn. Hij dacht dat ze er zowat zouden zijn. Maar de grote boot was nog ver weg. En hij en de andere roeier waren moe; ze roeiden minder hard om op adem te kunnen komen.

Toen kwamen de Belgen weer opzetten. Ze gaven het niet op. Wel, dan de tanden nog maar eens op elkaar! Weer roeiden Jan en Maarten om het leven en nu liepen ze weer stevig uit. De Belg gaf het tenslotte op en ging terug.

'Wat er met die Argentijn aan de hand is, snap ik niet,' zei de leerling aan het roer verbaasd.

Jan keek om. De boot was warempel verder weg in plaats dat ze dichterbij gekomen waren.

'Zou ie machineschade hebben en verlijeren?' vroeg de leerling.

Maar Jan had het nu door. 'De loeder stoomt achteruit om ons te laten etteren!' riep hij verontwaardigd uit.

Nu de Belgen niet langer concurreerden, spande hij zich niet meer in om bij de Argentijn te komen. 'Wij houden 't hier een beetje gaande, jongens,' zei hij. 'Dan komt ie wel.' Spelend met de riemen hielden ze de jol kop op de wind. Zo dobberden ze een hele poos op één hoogte, rustig wachtend tot de Argentijn zou komen, en eindelijk koos deze eieren voor zijn geld en stoomde op. Jan klom aan boord.

De kapitein had plezier omdat hij de Belgen en Nederlanders zo lang tegen elkaar had laten vechten. 'Hoe staat het met je rug en ribben, loods?' vroeg hij lachend.

'Waarom vraagt u dat, kapitein?' deed Jan verwonderd.

'Jullie waren daar een aardig robbertje aan het boksen, hè?'

'Wij zijn aan zulke robbertjes gewend,' zei Jan kortaf.

''t Was aardig om te zien,' grinnikte de kapitein.

'En daarom wilde u het spel een beetje rekken, kapitein, maar dat zat u niet glad,' spotte Jan.

'Hè, wat bedoel je?'

'Dat wij, Nederlanders en Belgen, op dood en leven tegen elkaar vechten om een schip, maar dat we ervoor bedanken ons kapot te roeien, als ze wat met ons willen spelen.'

'Wablief? Wie wil er met jullie spelen?'

'Een zekere Argentijnse kapitein,' ging Jan onverstoorbaar door.

'Eh... waarheen gaat de reis, kapitein, Antwerpen of Terneuzen?'

'Antwerpen!'

'Goed...! Roerganger, drie streken bakboord. Stuurpunt nemen op die lichtboei... Wat mijn rug en ribben betreft, als ik die al gevoeld heb, dan is dat overgegaan in de tijd die u ons gegund hebt om uit te rusten in ons jolletje. Voordat u zo vriendelijk was bij te draaien. Dat was erg aardig van u, kapitein.'

De Argentijn mompelde iets binnensmonds en liep weg. Hij kon geen eer behalen aan zo'n kouwe kikker uit het grauwe noorden.

6 DE BELGEN HADDEN
EEN HARDLOPER

De loodsboot Schelde II stoomde de haven van Vlissingen uit. Dit was het antwoord van de Nederlanders aan de Belgen, nadat de Nederlandse loodsen op een dag verbluft hadden staan staren naar de inkomende schepen. Die hadden allemaal het sein 'Loods aan boord' aan de vlaggenmast hangen, terwijl niemand Belgische jollen naar buiten had zien gaan.

Het raadsel was snel opgelost. De Belgen, die de roeiwedstrijden op de Schelde te vaak verloren naar hun zin, hadden een loodsboot vóór de ingang van de Schelde gelegd. Zo pakten ze alle inkomende schepen voordat hun concurrenten ze in de kijker kregen. Om de Nederlanders te verrassen was de boot in alle stilte in Antwerpen uitgerust en in een donkere nacht langs Vlissingen naar zijn post gevaren.

De directie van het Nederlandse loodswezen had zijn antwoord vlug klaar. Oók een loodsboot voor de Schelde. En omdat de Belgen een stoomboot hadden, kreeg Vlissingen die ook; een schoener zou nu niet geschikt zijn.

De Schelde II vond zijn concurrent bij de Raan. Het was een goede post, daarvandaan had men het oog op de Wielingen en kon men zien wat uit het zuiden kwam, en op de schepen die door de Roompot of het Oostgat uit het noorden binnenliepen. De Schelde II ging naast de Belg voor anker.

Wat de Belgen dachten, toen de Nederlanders naast hen kwamen, bleef onbekend. Uiterlijk waren ze even gul en lollig als altijd, wanneer er niet gevochten werd. Ze nodigden de Nederlanders uit voor een potteke bier en de Nederlanders nodigden hen later uit om op hun schip een glaasje uit Schiedam te drinken. Het werd een vrolijke boel, op zee nog vrolijker dan het op de kade meestal tussen beiden toeging, omdat er geen pottenkijkers waren, geen commissaris en geen vrouwen.

Het feest op de Schelde II brak abrupt af, toen er een schip opdook, dat om een loods vroeg. De Belgische boot riep met een felle fluitstoot zijn volk terug aan boord. Op beide schepen werden de ketels hard opgestookt, de schroeven gingen draaien en de boegen sneden door de golven. Vroeger roeiden ze tegen elkaar, nu stoomden ze tegen elkaar. De Belg kwam op kop en het volk aan boord liet duidelijk blijken dat het z'n draai had, nu zij de Nederlanders de loef afstaken. De pret aan boord van de Belg werd erg uitbundig, toen de Schelde II afdraaide. De Hollandse kaaskoppen gaven het op! En die hadden zo opgeschept over hun zeemanschap. Maar hun gelach hield op, toen de Nederlandse loodsboot op volle kracht een nieuwe koers ging varen. Wat deed de Nederlander nu? Hij stoomde naar het Oostgat, waar twee schepen aankwamen, die hij beloodste, terwijl de Belg in de Wielingen maar één loods kwijtraakte.

De Belgen waren goede verliezers. Het werd, toen de schepen na hun karwei weer naast elkaar voor anker lagen, net zo gezellig als het eerder was geweest. Ze vlogen elkaar die dag niet nog eens in de haren, want het eerste schip dat binnenkwam was een Belgische lijner en het volgende een Nederlandse boot. De nacht daarop liepen er een paar schepen binnen, die ook vaste klanten waren, of van het Belgische, of van het Nederlandse loodswezen. 't Was pais en vree en die avond zaten alle Belgen op de Schelde II. Er werd gezongen bij de harmonica. Een andere groep zat in een kring te klappen. Alleen Frans Naerebout, de schipper van de Schelde II, was er niet bij en ook een paar lui van de stokers misten.

Op een gegeven ogenblik keek de Belgische schipper, die druk meeklapte en dronk, verwonderd door de patrijspoort over zee. Er hing een dikke rook vlakbij, laag over het water. Hij ging naar dek. De rook kwam uit de schoorsteen van de Schelde II en kapitein Naerebout stond in het stuurhuis. Waarom stook jij je ketel op?' vroeg de Belg hem.

'Omdat ik onder stoom ga...' was zijn antwoord. 'Anker lichten!' riep hij naar zijn bemanning.

De Belgen kregen nu pas de Italiaanse boot in de gaten, die in de Wielingen kwam aanvaren en door de Nederlanders allang gesignaleerd was. Ze maakten als de weerga dat ze op hun eigen schip kwamen.

Nog voordat het anker boven water was, voer de Schelde II al op volle kracht. De Belgen moesten toen nog alles klaarmaken.

De Nederlanders wonnen deze race, dankzij hun waakzaamheid en de zorgeloosheid van de Belgen. Maar Jan Loots had geen gerust gevoel, toen hij bij de Italiaan aan boord stapte. Het was een heel krappe overwinning geworden. De Belgische loodsboot had de Nederlandse ingehaald, ondanks zijn voorsprong. De beide jollen waren tegelijk neergelaten. Het was nu in zee een roeiwedstrijd geworden als eerder voor de haven, die de Nederlanders op het nippertje gewonnen hadden. Jan voelde rug en armen en veegde, toen hij op het Italiaanse dek stond, het zweet van het gezicht. Een volgende keer, als de Belgen wel goed uitkeken, wonnen zij de race, want hun boot was veel sneller dan de Nederlandse.

Het duurde niet lang of er kwam een nek-aan-nek-race. De Schelde had in het begin de leiding, omdat men daar een naderend schip weer het eerst ontdekt had. De Nederlanders, meer zeelui dan de Belgen, waren in het waarnemen en ook in het lichten van het anker altijd het vlugst. Maar dit keer kwam de Belg hen meteen achterop onder dikke rook en met veel schuim voor de boeg.

Schipper Naerebout riep naar zijn machinist dat hij meer slagen moest maken, maar hij antwoordde dat hij al op de rode streep stond.

'Dan ga je d'r maar over!' riep de schipper.

'En als m'n ketel barst?' vroeg de machinist wanhopig.

'Dan barst ie maar. Méér slagen!'

Het werd vechten op de stookplaat. De vonken vlogen uit de

schoorsteen. De machinist durfde niet meer naar de manometer te kijken. De machine steunde. De boot schudde en trilde.

Maar de Belg liep harder.

'Méér stoom!' schreeuwde de schipper door de spreekbuis.

Het kon niet. De vlammen loeiden daar beneden. Het log wees aan dat ze elf knopen voeren. Dat was twee meer dan deze boot ooit had gelopen. Meer was er niet uit te halen.

De Belg vloog hen voorbij.

Ze voeren door. Het was een Noor, die binnenliep. Misschien had die liever een Nederlandse loods. Misschien maakten de Belgen een flater met het strijken van de jol.

Maar dat gebeurde niet. Toen schipper Naerebout de telegraaf op stop zette, liet de machinist onmiddellijk een dikke wolk van stoom luid sissend ontsnappen. Hij was doodsbang dat zijn ketel zou springen. De Belgische loods stond al bij de Noor op de brug. De Belgen hadden het natuurlijk naar hun zin. 'Ah, wel zulle, wat zegt ge nou van dieën Bels? Beweert ge nog da' wij nie kunnen varen?' vroeg de schipper lachend aan zijn Nederlandse collega en spottend voegde hij eraan toe: 'Gij, Hollanders, hebt de kunst verleerd.'

Schipper Naerebout liet niet blijken dat hij slecht tegen zijn verlies kon. 'Gefeliciteerd makker... Eh... daar geef je toch een rondje op?'

De Belg trakteerde met plezier. Ze hadden een héél vrolijke avond met elkaar.

Maar toen de Schelde II Vlissingen binnenliep, nadat hij eindelijk zijn laatste loods had afgegeven, stapte schipper Naerebout onmiddellijk naar de commissaris, om hem te zeggen dat het zo niet ging. Die Belgische boot liep veertien knopen; die van hun negen. Hij paste wel op te zeggen dat hij er ooit elf knopen uit gehaald had, want bij die gelegenheid waren alle voorschriften van de marine-stoomvaartdienst aan de laars gelapt. Wanneer de heren van de directie niet over de brug kwamen, konden ze de Vlissingse loodsen wel op sterk water zetten.

De heren kwamen niet over de brug, zoals schipper Naerebout graag wilde. In plaats van een snel schip gaven ze goede raad. Hij moest niet op de Raan blijven liggen, maar de binnenkomende schepen tegemoet varen. Toen Naerebout vroeg in welke richting hij moest varen: de Wielingen in, of het Oostgat door, kreeg hij te horen dat dit aan zijn inzicht en zeemanschap werd overgelaten. Daarmee kon hij gaan.

Een paar keer gokte Naerebout goed. Hij liep 's morgens in de Wielingen pardoes op een schip, dat een loods moest hebben. 's Middags ging het in het Oostgat net zo. De Belg kreeg die dag niets te doen. Toen werd de Belg ook mobiel, maar hij was niet gelukkig. Als hij in het Oostgat zat, beloodste Naerebout schepen in de Wielingen, en was hij in de Wielingen, dan was daar niets en vond de Nederlander zijn klantjes in het Oostgat of de Roompot. De raad van de heren was toch niet zo slecht geweest, moest Jan erkennen. Met de stukken werd aangetoond dat de Nederlanders meer kijk op de vaart hadden dan de Belgen. Op grond van de scheepstijdingen die ze kregen, en van de weerberichten voor het Kanaal en de Noordzee, konden ze beter uitrekenen, op welk uur bepaalde schepen, op weg naar Antwerpen of Terneuzen, vóór de Schelde zouden zijn.

Toen begon de Belg het anders te doen. Hij ging als een klit aan de Nederlandse boot hangen. Stoomde deze de Wielingen in, hij ook; voer Naerebout naar het Oostgat, dan koerste de Belgische loodsboot achter hem aan. Dit was een bewijs van onvermogen; de Belg liet zich helemaal leiden door de Nederlander. Maar hij won er de slag mee! Zodra er een schip in 't zicht kwam dat een loods vroeg, ging de snelle Belg op volle kracht erop af, schoot voor de Nederlandse loodsboot uit en was de eerste.

Schipper Naerebout ging weer naar de commissaris. Hij moest een sneller schip, zei hij.

Hij kreeg ook nu niet wat hij vroeg, maar de directie van het loodswezen deed wel een tegenzet. Ze legde een tweede loodsboot in de vaart. Voortaan ging de ene boot om de zuid en de andere om de noord; de ene voer tot in de Straat van Dover, de andere kruiste soms wel op de hoogte van IJmuiden. En nu vingen de Nederlanders weer verreweg het meest.

Jan Loots was met het loodsenwerk niet alleen verzoend, hij was erdoor gevangen. Telkens andere schepen, klein en groot, oud en nieuw, te mogen sturen door de verraderlijkste stromen en langs de vuilste platen van de kronkelende Schelde, eiste zeemanschap en vergde steeds opnieuw een spanning, die hij in zijn stuurmansjaren maar zelden had gekend. Alleen tijdens wervelstormen in de tropen, in een paar orkanen op de Noord-Atlantische oceaan en één keer bij het ronden van Kaap Hoorn. Daarbij kwam dat hij nu weer mocht kruisen om de zuid en om de noord, zodat hij op zee was in plaats van steeds maar te scharrelen in een zeegat en op een kronkelende rivier.

Thuis ging het prima. Ze kregen hun vierde en vijfde kindje en de kleintjes groeiden als kool. Jane klaagde niet als hij, bij Dover of IJmuiden kruisend, weleens dagen en soms weken wegbleef. De vijf kinderen gaven haar vertier genoeg; ze hoefde zich niet te vervelen.

Als Jan thuiskwam stonden op mooie zomerdagen zijn vrouw en kinderen vaak op de kade om hem te begroeten en als hij uitvoer wuifden zij hem dikwijls, staande bij het standbeeld van De Ruyter, na.

7 ZELF EEN DUIZENDKUNSTENAAR

J an Loots vroeg om van Vlissingen te worden overgeplaatst naar Harlingen.

De directie van het loodswezen had er niet zo veel mee op. Wanneer een loods een bepaald vaarwater goed kende, liet ze hem daar 't liefst blijven. Jan kende de Schelde nu goed; ook op de Waterweg was hij thuis; waarom zou hij dan weggaan? Ook zijn Vlissingse collega's vonden het maar vreemd, omdat Harlingen niet een standplaats was waar de loodsen graag naartoe gingen. Het lag afgelegen en het was geen drukke haven. Het was twijfelachtig of hij daar een loodsdeel zou halen zo groot als hij hier meestal had.

Maar Jan hield van afwisseling en Jane hielp hem vol te houden. Ze wilde wel graag naar het noorden, waar ze was geboren en waar haar ouders woonden. Hij bleef bij zijn verzoek en toen besloot de directie de eerste vrijkomende plaats in Harlingen aan hem te geven. Dat gebeurde al snel en ze verhuisden van zuid naar noord. Ze kregen een oud redershuis aan de Noorderhaven. Het was nogal verwaarloosd, maar voor hun groot gezin, met nu zes kinderen, erg geschikt. De meisjes waren blij met de lange marmeren gang, waar ze met knikkers konden spelen. Jaap, de oudste, vond de grote zolder prachtig om te knutselen en ook omdat je er fijn kon uitkijken door het dakraam aan de achterkant. Over het Wad met aan de horizon de duinen van Vlieland en de Brandaris van Terschelling. Als het donker werd lichtte het vuur van de toren telkens helder op. Net een vertrouwelijk knipoogje van de zee, vond Jaap.

Jan voer nu dagelijks de haven uit, door de Blauwe Slenk, langs het Griend en door de Vliestroom naar het Vlie, soms ook door Dove Balg en Tesselstroom naar het Marsdiep. Hij raakte op de wadden thuis en leerde alle gaatjes tussen de waarden kennen. Grote schepen kwamen hier nooit; ze konden niet varen op de wadden en ze hadden ook geen werk in de kleine Friese havenstad. Het waren meest weekboten of houtboten van de Oostzee die hij te beloodsen had en, vaker dan op de Schelde, een schoener, kof of zeetjalk, meestal van Groningers. Op deze ouderwetse schepen was hij graag, niet alleen omdat hij dan zijn hart aan het zeilen op kon halen, maar ook omdat daar meestal het gezin van de kapitein aan boord was. Bij mooi weer zat de vrouw vaak bij de loods te breien. Het stuurhuis, en ook de roef, zagen er, wanneer er een vrouw aan boord was, altijd netter uit dan op een schip met alleen maar mannen. Het houtwerk was smetteloos gewreven, de vloer geboend, het koper blonk en een gordijntje en een bloemetje maakten het er huiselijk. Heel vaak speelden er ook kinderen in het stuurhuis of aan dek en soms lag er naast het roer een baby in de wieg te lachen of te schreeuwen. Jan vond dit varen met het gezin aan boord het ideale zeemansleven. Hij praatte er thuis opgetogen over. Jaap luisterde met schitterende ogen. Hij wilde dat zij zo woonden op een schip en met z'n allen voorbij de Brandaris over zee naar verre landen voeren. Jan Loots was het in zijn hart helemaal met zijn jongen eens. En zou het onmogelijk zijn? Meestal voeren deze schepen onder een kapitein-eigenaar en hij had geen geld om een schip te kopen. Maar soms waren er ook zetkapiteins. Als hij zo eens begon! Misschien ging het wel zo goed dat ze na een tijdje een schip konden kopen. Toen hij tegen Jane eens voorzichtig zinspeelde op deze mogelijkheid, vroeg ze heel nuchter hoe het dan met het schoolgaan van de kinderen moest. Daarop had hij geen antwoord, want hij begreep dat het niet meer zo kon als vroeger. Toen gingen de kinderen van zeevarende gezinnen alleen 's winters naar school, als het schip in het dok was. En een man kon als kapitein de zee opvaren, zonder ooit naar een zeevaartschool geweest te zijn. Er waren zelfs kapiteins geweest, die de hele wereld rond zeilden, maar de ladingsbrieven met een kruisje ondertekenden, omdat ze hun naam niet konden schrijven! Toch voeren ze veilig, doorkneed als ze waren in de praktijk van de zeevaart. Op het kompas en met behulp van de slaggaard en het peillood zeilden ze feilloos door nauwe gaten. En wisten ze op een gegeven moment niet waar ze zaten, dan visten ze maar een kluitje aarde van de zeebodem op. Als ze dat bekeken en desnoods geproefd hadden, konden ze nauwkeurig zeggen waar ze zaten. Die tijd was voorbij. Jacob zou vele jaren naar school moeten gaan om stuurman te worden, en de andere kinderen hadden ook onderwijs nodig. En ook al waren deze problemen er niet, dan kon het nog niet, want Jane werd zeeziek, zodra het schip waar ze op was zijn neus buiten de pieren stak. Hij zou nooit als deze Groningers varen: tegelijk op zee en thuis. Afwisselend op zee en thuis, zoals hij het nu had als loods, was het beste wat hij kon bereiken. Wel, dat was ook goed.

Nadat hij een lege Fin, die hout naar Harlingen gebracht had, naar het Vlie geloodst had, zeilde Jan aan boord van de afhaalkotter weer terug.
Ze voeren voorzichtig door de Blauwe Slenk. Het was wat mistig. Er was een zicht van een paar honderd meter. Als ze een boei passeerden was de volgende nog niet te zien, maar schipper Klein van de afhaalkotter wist precies hoe hij moest koersen. Na een poosje varen verscheen de volgende boei steeds weer recht voor de boeg. Toen de vaargeul erg ging kronkelen, begon een matroos met de slaggaard te zwaaien en riep eentonig steeds weer de diepte af, zes, zes, zeven, zeven, zes...
Jan had een poos bij de schipper gestaan, die de helmstok hield, maar het was kil in de mist en hij was ook slaperig. Drie etmalen achter elkaar had hij schip na schip geloodst. Hij was nauwelijks thuis geweest en had alleen af en toe een hazenslaapje kunnen pikken aan boord van de kotter. Daarom ging hij naar kooi. De misthoorn, door de uitkijk met de hand gedraaid, blies hem in slaap.

Hij werd wakker van een vreemde fluit, die op hun hoorn antwoord gaf. Onwillekeurig probeerde hij vast te stellen welke boot het was; hij kende de fluiten van alle vaste boten op Harlingen. Het moest een vreemd schip zijn, want deze fluit had hij nog nooit gehoord. Och, wat had hij ermee te maken? Hij was niet aan de beurt. Hij dook diep onder de dekens om te slapen.

Na een poosje gooide hij de dekens van zich af. De kotter maakte een vreemde draai, merkte hij; hij ging op tegenkoers. En de vreemde stoomfluit kwam nu heel dichtbij.

Jan ging naar het dek. De mist was dicht geworden. Het water leek op melk, die snel vervloeide in witte wolken, waaruit de stoomfluit klagend klonk.

'Waar zitten we?' vroeg Jan aan de schipper.

'Halverwege tussen ton acht en ton negen,' antwoordde die prompt.

'Hè!' verwonderde Jan zich. 'Is die boot *hier* vastgelopen? Welke loods is zo snugger geweest?' Het vaarwater was hier breed, diep en recht. Je kon er varen met een blinddoek voor.

De schipper haalde de schouders op; hij wist het niet. Jan ging in zijn gedachten het lijstje van beurt en reis na, dat hij vanmorgen vroeg had gezien. Na hem kwamen Groothuis, Westra en Vermeulen. Zou een van hen dat schip hier hebben laten stranden? Hij kon het bijna niet geloven, want ze waren stuk voor stuk bekwame loodsen, die dit vaarwater wel konden dromen.

De boot vroeg zonder ophouden om hulp. Ze voeren ernaar toe, met een slaggaard de rand van de slenk aftastend. Nu klonk de stoomfluit heel dichtbij. Jan zag een grijs silhouet door de mist tevoorschijn komen.

Het was een oorlogsschip, een torpedoboot, vastgelopen op een plaat aan de zuidkant van de Blauwe Slenk. Dat verklaarde het ongeval. Marineschepen voeren op de wadden altijd zonder loods. Het was geen wonder dat de officieren de koers waren kwijtgeraakt, toen ze overvallen werden door de mist. Ze waren in al de slenken en gaten natuurlijk niet zó thuis als de loodsen.

Jan stapte in de jol en roeide over en vroeg of hij de commandant van dienst kon zijn.

'Als je me helpen kunt om los te komen, graag,' antwoordde die.

'U zit lelijk in de problemen, commandant, en over een uur is het hoog water. We hebben niet veel speling. Maar ik zal kijken of er kansen zijn.'

In de loodsjol voer hij om de boot heen, telkens met de slaggaard peilend. Het was zoals hij gedacht had. Het oorlogsschip was hoog op de steile bank, vlak naast de diepe slenk gelopen. Achteruitslaan, wat trouwens al uitentreuren was geprobeerd, zou weinig kans van slagen hebben. Maar de rug was smal. Misschien kon de boot eroverheen getrokken worden. Hij adviseerde twee ankers uit te brengen op honderd meter voor de boeg en dan de ankerwinches aan te zetten.

Er waren matrozen genoeg om de ankers elk in een sloep te laden en uit te roeien. Daarna werd stoom gezet op de ankerlieren. Het siste bij de winches; de zware kettingen spanden zich als snaren; de schroeven deden mee, al joegen die meer modder op dan water weg. Het hielp geen zier. De commandant, samen met Jan Loots op de brug, wilde de pogingen maar staken en wachten op sleepboothulp, maar Jan wilde nog even doorzetten; het was nog niet helemaal vol tij. De machines zuchtten weer.

En toen begonnen de ankerkettingen zich schakel voor schakel om de as van de lier te winden en schoof het schip duim voor duim over de rug. Het hield weer op toen de schroeven, doordat het achterschip omhoog ging, wild in de lucht sloegen en niet meer meewerkten. Maar op dat moment begon het voorschip van de plaat te schuiven en daarna kwam de boot snel vlot.

Het ogenblik waarop de boot ging drijven was het moment waarop het er voor Jan op aankwam. De slenk achter de rug was erg smal, wist hij. Als de torpedoboot maar even doorschoot zou hij wéér vastzitten en waarschijnlijk nog meer dan daarvoor. Hij liet direct hard stuurboord roer geven. Het schip schuurde - je kon het horen, zien en voelen - langs de grond. Maar het liep niet vast. Voorzichtig varend en steeds peilend bracht Jan de boot uit het smalle geultje weer in de Blauwe Slenk. Toen wilde hij weer naar de afhaalkotter gaan, die voor anker had gewacht. Maar op dat moment kwam er een officier op de brug, die Jan nog niet had gezien en die hij op een klein schip als een torpedoboot niet verwachtte. Hij had vier gouden banden om de mouwen: een kapitein ter zee dus. Hij vroeg hem of hij hen naar Den Helder wilde brengen.

'Zodra de mist is opgetrokken met plezier, kolonel,' antwoordde Jan.

'Ik moet vanmiddag voor een belangrijke stafbespreking in Den Helder zijn. Zie je kans ons ernaar toe te brengen?'

'Door de mist? Dat gaat niet kolonel, het is te dik.'

De kolonel trok aan zijn puntbaardje; hij zat ermee.

'Ik kan u naar het Vlie brengen, kolonel,' bood Jan aan. 'Dan kunt u buitenom. Dat kan bij mist.'

'Dan ben ik niet om drie uur in Den Helder.'

'Nee, vast niet,' moest Jan erkennen.

'En ik *moet* er zijn.'

Jan keek naar de zee en de lucht. Het leek iets minder mistig dan het was geweest. Maar het Inschot, waar ze door moesten naar Nieuwediep, was erg smal en bochtig, een moeilijk vaarwater, zelfs bij helder weer. Hij was er, hoewel hij er vaak gevaren had, ook niet zó thuis als in de Blauwe Slenk en de Vliestroom. Maar als het nu moest...

'Ik garandeer niets, kolonel. Het kan best zijn dat wij weer vastlopen. Maar als u erop staat, zal ik het proberen.'

'In orde, loods. Bij voorbaat dank!'

Jan Loots liet de machines langzaam draaien. Bij halve kracht liep deze snelle boot nog veel te hard. Hij vond de ene na de andere boei in de Blauwe Slenk en eindelijk doemde de kruiston bij de ingang van het Inschot uit de nevel op. Hij ging het Inschot in.

Weer vond hij boei na boei. Hij kende hun plaats zo goed dat hij na het passeren van de ene ton zonder zicht naar de volgende koers wist te zetten. Als het nieuwe baken al niet recht op de kop gevaren werd, dan voeren ze er toch zo dicht bij langs dat de uitkijk hem ondanks het slechte zicht kon vinden.

'Ik geloof dat je het redt, loods,' zei de kolonel opgewekt.

'Ik hoop het, kolonel,' antwoordde Jan voorzichtig, maar het deed hem goed dat hij tot dusver zo goed koerste.

'Als we in Tesselstroom zijn, is het leed geleden, niet?'

'Dan zijn we boven Jan. Maar we zijn er nog niet, kolonel.'

Ze moesten eerst nog veel kronkels van het Inschot nemen, maar nadat boei na boei zo goed was aangelopen, groeide bij Jan het vertrouwen dat hij de volgende ook zou vinden.

Maar toen kwamen ze in een erg dichte mist. Water en lucht vloeiden ineen. Van de brug af was de boeg niet eens meer duidelijk te zien. Het was net of ze in een dikke wolk dreven.

'Nu is de kans verkeken, loods,' zuchtte de kolonel.

Jan gaf een mompelend antwoord. Hij stond op het punt te adviseren het anker te laten vallen. Dit was geen weer om door het kronkelende en smalle Inschot te varen. Toen dacht hij aan de reis die hij als stuurman naar Archangel had gemaakt, aan hun vaart door de West Fjord in een zware sneeuwstorm. De Noorse loodsen voeren door, helemaal zonder zicht. Zou een Nederlandse loods dat ook niet kunnen? Hij kon het wél in de Blauwe Slenk, in de Vliestroom of in de Tesselstroom. Maar hier...? Het Inschot kronkelde nóg meer en was veel smaller dan de fjord bij Senjen, en je had hier geen steun aan de echo van de stoomfluit tegen de bergen. Maar hij kon peilen met de slaggaard, wat daar niet kon omdat het er peilloos diep was.

'Kunt u mij precies zeggen hoeveel uw schip loopt bij dit aantal slagen, commandant?' vroeg Jan Loots hem.

'Vijf knopen, in stil water. Hier staat natuurlijk stroom.'

'Dat weet ik, commandant. We hebben de eb mee. Als de heren het goedvinden, wil ik doorgaan.'

De kolonel en de commandant vonden het uitstekend.

Jan nam zijn horloge in de hand en keek er steeds op, soms telde hij zelfs de seconden. Zijn bevelen volgden rustig op elkaar: 'één streek stuurboord... west ten noorden... west noordwest... noordwest ten westen...' Daartussendoor loeide de stoomfluit monotoon en riep de matroos die de slaggaard zwaaide even monotoon de diepten af. Maar de uitkijk zei niets. Hij kon geen boei ontdekken.

Op de brug heerste een gespannen stilte. De commandant stond zwijgend achter Jan. De kolonel liep onrustig heen en weer. De roerganger herhaalde eentonig de bevelen. Jan Loots keek gespannen op zijn horloge en telde zachtjes de seconden.

De kolonel keek ook vaak op zijn horloge, maar met een ander doel dan Jan. Van de drie uur die hij daarnet had voor hij in Den Helder moest zijn, waren er bijna twee voorbij. En ze voeren door de wolken. De mist was nog niet zo dik geweest als nu.

'Als je het te riskant vindt, loods...,' begon hij.

'Stil!' beet Jan Loots. Hij telde door, acht en dertig, negen en dertig, veertig. 'Noordwest!' riep hij naar de man aan het roer.

'Noordwest,' herhaalde de roerganger, terwijl hij aan het stuurrad draaide.

Jan stond al weer te tellen en gaf na een paar tellen een nieuwe koers op. Daarna keek hij weer gespannen naar zijn secondewijzer.

De kapitein ter zee stond in een hoek; de commandant voor het raam, starend in de witte mist.

Op een gegeven ogenblik stak Jan z'n horloge in zijn vestzak. 'Nu kunt u laten varen tot halve kracht, commandant. We zijn in Tesselstroom.'

De commandant gaf door de spreekbuis een bevel aan de machinekamer. De schroeven gingen sneller draaien. Je hoorde het ruisen van de boeggolf, ook al was die nauwelijks te zien.

De kolonel kwam naast Jan Loots staan bij de borstwering van de brug, scherp vooruit turend, maar niets ontdekkend.

Jan voelde zich niet op zijn gemak naast de hoofdofficier. Soms veegde hij z'n voorhoofd af. 'Wilt u het mij... niet kwalijk nemen, kolonel?' vroeg hij tenslotte stamelend.

'Wat bedoel je?' vroeg de kapitein ter zee.

'Dat ik u om stilte vroeg, kolonel. Dat was de omgekeerde wereld. Ik vraag excuus.'

De kolonel glimlachte. 'Je had groot gelijk, loods. Ik had je niet mogen storen in je werk. *Ik* vraag excuus.'

Jan kreeg een kleur. Dat een kolonel aan hem verontschuldigingen aanbood was te gek.

Ze voeren verder, nog altijd zonder zicht. Soms gaf Jan een kort bevel aan de roerganger. Hij was nu heel zeker van zijn zaak. De kolonel probeerde maar steeds de dikke nevel met de ogen te doorboren; het lukte hem niet.

Toen klonk een schor geluid uit de verte door de mist. De kolonel, de commandant en de loods herkenden het tegelijk: de brulboei van Oude Schild.

'Je hebt het prima gedaan, loods,' prees de kolonel.

'We zijn er nog niet, kolonel,' wees Jan de lof af.

Maar het was nu kinderspel. Al snel hoorden ze het klingelen van een belboei. De postboot voor Tessel passeerde hen, ongezien maar goed hoorbaar. Daarna leidde de misthoorn hen naar het Wierhoofd van Den Helder.

Precies drie uur nadat Jan Loots verklaard had dat hij het proberen zou, legden ze aan de kade in de buitenhaven van Den Helder aan.

'Mijn beste dank, loods,' zei de kolonel.

'Neemt u het mij heus niet kwalijk?' vroeg Jan, nog steeds bang dat hij een hoge marineofficier beledigd had.

'Praat er niet over!' riep die uit. 'Je bent een duizendkunstenaar. Ik sta versteld dat jij ons door die mist hier gebracht hebt.'

De kapitein ter zee was al aan wal. Jan lachte zachtjes voor zich uit. Een duizendkunstenaar, had de kolonel hem genoemd. Dat was hetzelfde wat hij eens van die Noorse loodsen had gezegd. Kon hij nu werkelijk met die mannen op één lijn worden gesteld?

8   STORM

Op een dag in november bracht Jan Loots een Noor naar buiten. Ondanks dat er een harde storm uit het zuidwesten waaide, was het loodsen van Harlingen tot het Vlie gemakkelijk. De zee zag er wel angstaanjagend uit, vol schuim en woeste golven, maar het varen viel erg mee. De branding rolde tegen de randen van en over de waarden, die de slenken bedekten. In de luwte van het hoge duin van Vlieland werd het water zelfs opmerkelijk kalm.

Maar toen ze onder het eiland vandaan in het gat kwamen dat naar de Noordzee leidde, hadden wind en stroom vrij spel en daar brandde het geweldig. Het Stortemelk leek op een heksenketel. De Noorse boot, zonder lading, ging zó verwoed te keer dat de mannen op de brug zich aan het stuurrad en aan de ijzeren standaard van de telegraaf naar de machinekamer moesten vasthouden om niet onderuit te gaan. In de kaartenkamer sprongen de laden uit de kasten en alle kaarten vielen op de vloer. Zware zeeën brachten zoveel water over, dat de waterpoorten het niet snel genoeg konden verwerken; daarom stond het voorschip steeds blank. Een grondzee sprong hoog op bij stuurboordsboeg; een groene muur van water rees als een hoge zuil op naast het schip, stortte in en werd op het stuurhuis gegooid. De ramen aan stuurboordskant sloegen stuk. De mannen binnen werden tot op het hemd doorweekt en waadden in het water, dat ook de kaartenkamer binnendrong, waar de kaarten gingen drijven.

Toen op de brug het ergste voorbij was, meende Jan Loots een vreemd gerinkel in de mess te horen, maar voordat hij er acht op kon slaan, kwam er een nieuwe grondzee over, die met groot geweld op het voordek neersloeg. Toen volgde er een gekraak, dat hoog boven het loeien van de storm en het razen van de zee uit ging. Toen het schip weer omhoogrees, vlogen brokken zeildoek met luid geklapper weg, dreven gebroken planken en balken in de gangboorden en gaapte het voorruim als een donker gat. Het luik was ingeslagen.

De eerste stuurman rende erheen om samen met de bootsman en een groep matrozen te proberen het open ruim, dat onder deze omstandigheden een open graf was, dicht te krijgen. Vanuit het gehavende stuurhuis, waar hij steeds weer door buiswater werd overspoeld, zag Jan Loots de mannen pezen. Ze stonden tot hun middel in het water en werden telkens weer overstelpt door nieuwe brekers, die hun het hout en gereedschap uit de handen sloegen en nieuwe tonnen water in het open voorruim stortten. Door die zware last van het voorschip liet de boot zijn kop zorgelijk hangen. Daardoor konden de volgende brekers makkelijker overkomen en stroomde weer nieuw water in het ruim, wat de kop nóg dieper deed zakken. De pompen konden hier lang niet tegenop en het dichtingswerk werd de mannen telkens bij de handen afgebroken. Het werd een gevaarlijke situatie.

Intussen kwamen ze langzaam, want ze draaiden halve kracht, bij de loodsboot, die bij de uiterton was. Jan Loots moest daar van boord. Maar de Viking – dat was de naam van het Noorse schip – kon onmogelijk lij maken voor de loodsjol, zolang het karwei op het voordek niet klaar was. En daar ging het woeste gevecht van mensen tegen de elementen door. Met de machine op langzaam probeerde hij zo scherp mogelijk bij de wind te varen op de hoogte van de loodsschoener, die wild reed op de hoge zee. De Viking zonk al dieper.

In de grote voorkamer van haar oude huis stond Jane voor het hoge raam, uitkijkend in de richting van de brug, waarvandaan ze haar man verwachtte. Ze wist nooit precies het uur waarop de afhaalkotter binnenviel – op een zeilschip kun je nooit staat maken wat de tijd betreft – maar in de loop van de jaren had ze aardig leren schatten. Als ze de stroom mee hadden, ging het altijd sneller dan bij tegenstroom en een westelijke wind was gunstig. Nu was het vloed en zuidwesterstorm. De kotter zou de Blauwe Slenk doorvliegen.

Jane rilde even. Het kwam van de wind, die loeide om het hoge huis en roezemoesde in de schoorsteen, en ook van het kraken van een trap. Haar rillen ging snel over. In dit oude huis waren allerlei geluiden, vooral als het stormde. Toen ze hier pas woonden, had ze zich daar zorgen om gemaakt. Maar Jan had haar angst weggelachen. Natuurlijk kraakte en steunde er weleens iets in de gebinten en klepperde er weleens een los luik als het waaide. Dat had niets te maken met de spookgeschiedenissen die verteld werden over dit oude redershuis. De op een na laatste bewoner, een eenzame man uit een oud geslacht, was een beetje gek geworden. En ze moest ook niet denken dat het zo vreselijk hard waaide. In dit huis leek een storm altijd erger dan hij was. Jane was aan de geluiden van het huis gewend geraakt. Het lachen en praten, zingen en stoeien, schreeuwen en huilen van de kinderen kwam boven de geluiden van het huis uit en ze was nu blij met het grote huis. In de grote kamers, de holle keuken en de lange marmeren gang konden de kinderen naar hartelust spelen als het buiten koud was.

Maar nu was er geen lawaai van kinderen. De beide jongsten deden hun middagslaapje, terwijl de andere vijf naar school waren. 't Was stil in huis en daarom hoorde ze de wind zo luid rukken aan de luiken, loeien om de nok, gieren in de schoorsteen en rammelen aan de ramen.

Weer rilde ze eventjes. Het was slecht weer en Jan was op zee. Maar ze bedacht dat het helemaal niet nodig was zich zorgen te maken, ook al leek de zee, als ze uit het raam van de zolderkamer aan de achterkant keek, op een kokende pot en bereden de brekers als wilde ruiters de basalten dijk achter hun huis. Jan had nog nooit moeite gehad bij het uitbrengen van schepen en bij een storm uit westelijke richtingen had de afhaalkotter hem altijd vroeg thuisgebracht.

Nu was hij er nog niet en ze zag ook geen loodspet over de brug komen. Wel, het was vroeg, hij kon er nog niet zijn. Ze moest haar tijd niet verdoen met wachten. Er moest een grote was gestreken worden. Een moeder van zeven kinderen had het veel te druk om maar een beetje te staan kijken.

Terwijl ze aan het strijken was, kreeg ze opeens een koude rilling en tegelijk brak het zweet haar uit. Waar kwam dat van? Was ze toch bang? Ze hoefde het immers niet te zijn. Als Jan nog zeeman was! De Amelander gronden waren erg gevaarlijk; de Noordergronden bij Terschelling ook. Maar zo ver hoefde Jan het Noorse schip, waarop hij uitgevaren was, niet te brengen. Zijn dienst was afgelopen bij de uiterton van het Stortemelk.

Ze zette het ijzer weg en liep naar de voorkamer om uit te kijken naar haar man. Ze tuurde tevergeefs.

Weer begon ze te strijken. Haar werk schoot niets op. Ze keek eroverheen naar de kleine achtertuin, waar de struiken zwiepten en dorre bladeren een woeste rondedans uitvoerden op de wind. Ze voelde zich opgelucht, toen de kleintjes wakker werden. Dat gaf afleiding. Voordat ze de beide jongsten had geholpen, kwamen de andere kinderen thuis uit school.

'Is pa er al?' vroegen drie stemmen tegelijk.

Toen moeder nee zei, wilde Jaap gaan kijken of de afhaalkotter al te zien was.

Jane vond het goed, maar toen Clara, Kees en Piet ook mee wilden, stak ze er een stokje voor. De kinderen mochten niet naar de zeekant bij dit weer. Alleen Jaap mocht.

Er stak geen mast uit boven de steiger van de postboot op Terschelling. Dus was de kotter nog niet binnen, wist Jaap. Hij ging naar het noorderhoofd. Daarvandaan kon je het beste zien wat er aankwam uit de richting van het Vlie. Op de pier was het worstelen met de storm. Jaap hing voorover tegen de wind, die schel om zijn oren floot. Het water dat hem in het gezicht sloeg was geen regen; hij proefde zout. Waaiers fijne druppels vlogen hoog over de dam, nadat de golven donderend gebroken waren op de glooiing. Soms tuurde hij, stilstaand en met de handen boven de ogen, naar zee, maar hij zag geen schip in het schuim.

In de luwte van een ijzeren huisje op het hoofd van de pier rustte hij uit. Toen hij weer keek, zag hij een donker vlekje in de richting van Terschelling. Het was een zeilschip, het kon de afhaalkotter zijn, maar ook een visser, of het beurtschip op Vlieland of Terschelling. Voordat het schip de Pollendam bereikt had, wist hij het. 't Was de kotter. Hij zag het aan de vorm van het zeil.

Hij rende de pier af en terug naar huis, voor de wind ging dat vanzelf. 'Hij komt 'r an!' riep hij luid in de brede gang. Meteen was hij weer weg, want hij wilde aan de steiger staan als zijn vader aan wal stapte.

Voor de stormfok en met een dubbele reef in het zeil rondde de kotter het hoofd en hield daarna recht op de postbootsteiger aan. Jaap speurde naar de mannen op het dek. Schipper Klein stond aan het roer, Douwe en Tjeerd, matrozen, bij de vallen voor het strijken van de zeilen. Jaap zag zijn vader niet; geen enkele loods was aan dek. Bij het gure weer bleven ze natuurlijk in de kajuit totdat de kotter aan de steiger lag.

De fok en het grootzeil roetsten naar beneden. Jaap, op tijd op de steiger, ving het lijntje op, dat Douwe hem toegooide, trok de tros aan wal en legde deze om een meerpaal. Toen hij daarmee klaar was, was er nog geen loods aan dek gekomen; dat was vreemd. 'Waar is mijn vader?' vroeg hij.

'Die komt morgen,' antwoordde de schipper en hij zei erbij dat ze de loodsboot niet op z'n post gevonden hadden. Hij had het, veronderstelde de schipper, te kwaad gekregen in het gat en daarom de ruimte opgezocht. Wanneer de storm wat bedaarde, zou de boot wel gauw weer op z'n post zijn. Morgen ging de kotter er weer op uit om de loodsen af te halen.

Jaap ging naar huis. Met de handen in zijn zakken deed hij z'n jas omhoog tot boven z'n hoofd. Zo werd z'n jas een zeil. Zijn voeten konden bijna niet zo snel als de storm hem vooruit duwde.

'Waar is vader?' vroeg zijn moeder, die op hem wachtte in de open deur.

Jaap schrok van de spanning in haar vraag. 'Hij was niet op de kotter,' antwoordde hij.

'Waar is ie dan?' vroeg Jane nog feller.

Jaap begreep niet waarom zijn moeder zo ongerust was. 'Er was geen één loods... De loodsboot...'

'Wat is er met de loodsboot?'

'De kotter kon hem niet vinden; hij was...'

'Vergaan?!'

De jongen schrok van zijn moeders angst. Hij had geen ogenblik aan die mogelijkheid gedacht. 'Welnee,' zei hij, 'de boot was buitengaats gegaan. In het gat was het geen houen, zei de schipper.'

'De Noordzee op dus; bij dit weer.' Het kwam er hees uit en ze was doodsbleek.

'Dat is helemaal niet erg,' probeerde hij haar gerust te stellen. 'Bij storm kun je veel beter in volle zee zijn dan voor de banken. Dat heeft vader immers wel honderd keer gezegd.'

Het troostte haar niet. Ze wankelde naar binnen en viel in de keuken op een stoel neer. Met de ellebogen op tafel en het hoofd in de handen snikte ze hartstochtelijk. De kinderen stonden erbij, verbaasd en bang.

De ploeg, die op het voordek van de Viking bezig was het ingeslagen luik weer op het ruim te brengen, wist het karwei te klaren.

Het luik lag er weer, een geteerd zeildoek er overheen en die stevig met latten bevestigd.

Er waren drie gewonden, één matroos met een gebroken arm, één met een hoofdwond waar het bloed uit stroomde, en een man met een paar gekneusde ribben.

Nu was het voor Jan Loots tijd om van boord te gaan. Maar het was geen doen. De loodsjol kon onmogelijk worden uitgezet bij deze wilde zee en de Viking moest de kop op de wind houden;

wanneer hij lij maakte was het risico te groot dat er een grondzee dwars inkwam.

'Ik moet je meenemen naar Bergen, loods,' zei de kapitein.

Jan Loots begreep het en hij schikte zich. Hij wilde alleen graag aan zijn collega's op de loodsboot een boodschap meegeven voor zijn vrouw. Daarom stuurde hij de Viking zo dicht langs die boot als wind en zee toelieten. Bij het passeren kwamen er een paar loodsen aan dek. Groothuis en Westra waren er bij, zag Jan. Hij schreeuwde naar hen en wat ze niet konden verstaan, omdat zijn stem verwaaide op de wind, wist hij met tekens duidelijk te maken: 'Ik ga mee naar Bergen: breng de boodschap aan m'n vrouw over.' De vrienden seinden terug: 'Begrepen; komt in orde; goede reis!'

Toen rinkelde op de Viking de telegraaf naar de machinekamer. De schroef ging sneller draaien. Zwaar stampend worstelde de boot tegen de hoge zeeën op.

Jan Loots keek uit het stuurhuis achterom. De loodsschoener voer onder klein zeil achter hen aan. Het werd de lui blijkbaar te erg in het gat en omdat het erg gevaarlijk was bij dit weer naar binnen te gaan, zochten ze het op de ruimte. Of ze gelijk hadden!

De Viking kwam bij de uiterton in volle zee. De golven waren hier nog hoger, maar het was niet zo hard vechten tegen grondzeeën en brekers als in het gat. En de loods had nu zijn werk gedaan. Een stuurman nam zijn taak over. Hij mocht van de brug af, nadat hij er zeven uur aan één stuk had gestaan. Voor Jan de trap afging, keek hij nog een keer achterom. De loodsboot lag achter hen. Soms zag hij hem hoog op een golf; daarna leek hij te zinken in de holle zee. Toen de Viking noord koerste, hield de loodsboot west aan. De afstand werd snel groter. Al snel verdween hij in een zware wolk. Jan Loots had het schip en zijn collega's voor het laatst gezien.

Hij ging naar beneden om wat te eten; hij had trek. Het was een chaos in de mess. Het gerinkel, vlak vóór het luik van het voorruim ingeslagen werd, was veroorzaakt door een ravage in het kommaliewant. Een kast was stukgeslagen en de hele inhoud van koppen, schotels, schalen, borden en ander serviesgoed, was op de vloer gevallen en vergruizeld. De jongens, die eerst hadden moeten helpen bij het dichten van het ruim, waren nu bezig de scherven bij elkaar te vegen en op te rapen. Loots kon zijn honger alleen stillen met een paar sneden brood en een mok koffie, die hij bij de kok in de kombuis moest halen. Daarna ging hij naar kooi, voor het eerst sinds lange tijd in volle zee. De deining wiegde hem in slaap.

De volgende morgen was de storm gaan liggen, hoewel de zee nog wel te keer ging. Met de wind in de rug haalde de Viking een goede snelheid. Jan Loots, fris wakker geworden na een gezonde slaap, was er nauwelijks rouwig om dat hij niet afgezet had kunnen worden. Hij ging naar het dek, ademde met genoegen de zuivere zeelucht in en genoot van de wijde ruimte van lucht en water zonder land en zonder schepen. De golven waren heerlijk groen met helderwitte kammen, sterke wolkenmassa's zeilden langs een heldere hemel. In de mess, die opgeruimd was na de chaos en ravage van gisteren, deed hij zich tegoed aan een Noors ontbijt. Hij kon van een tafel, beladen met tientallen soorten vlees en vis en ander beleg, kiezen wat hij maar wilde. Daarna ging hij naar de brug. In het voorbijgaan tikte hij, half uit gewoonte, op het glas van de barometer. Hij schrok toen hij de naald een grote sprong achteruit zag maken. Ze kregen weer storm en het zou een zware zijn.

Het bleef die dag betrekkelijk goed weer: een stevige bries, meer niet. De barometer ging een beetje vooruit. Die avond sliep Jan Loots, gewiegd door het slingerende schip, snel in. Het leek erop dat de storm hen voorbijging. Maar hij werd ruw wakker, toen hij over de rand van z'n hoge kooi werd geslingerd en met een smak op de vloer terechtkwam. Eerst was hij versuft. Toen werd hij kwaad, hij dacht aan een streek van de jonge machinist, die in de onderkooi sliep, maar toen hij overeind krabbelde, werd hij weer onzacht tegen de vloer gegooid. De Viking zat in een zware storm. Met moeite kreeg hij z'n kleren aan. Bij het wassen zette hij zich schrap voor de kleine wastafel; scheren was onbegonnen werk. In de mess was de bediende erin geslaagd een potje thee te zetten, speciaal voor hem, want de Noren dronken altijd koffie. Maar nauwelijks stond zijn kop op tafel, of hij gleed eraf en brak op de vloer in stukken. Een bord havermout lepelde hij leeg terwijl hij het op z'n knie hield.

Op de brug vond hij de tweede stuurman en de kapitein. De spanning stond hen op het gezicht te lezen. Jan Loots keek rond om de oorzaak daarvan te ontdekken. Hij schrok, toen hij aan lij vlakbij rotsen zag. Daar dreven ze naar toe.

'Waarom geeft u niet wat meer stoom?' vroeg hij aan de kapitein.

'Defect aan de machine; we kunnen nog geen halve kracht ontwikkelen.'

'Zijn ze aan het repareren?' vroeg Jan.

'Dat kan alleen als de machines uitgezet worden.'

'Geen ankergrond?'

'Nee.'

Dan was stopzetten op dit moment onmogelijk, begreep Jan Loots. Wanneer ze het deden, zouden ze reddeloos op de rotsen lopen en verpletterd worden.

Samen met de kapitein bekeek Jan de zeekaart. Ze waren voor de Bukke Fjord, door veel rotseilandjes gescheiden van de baai van Stavanger. Er was een vaarweg, maar ze was smal en kronkelig. Alleen een loods die hier volkomen thuis was, zou het kunnen wagen een schip bij deze storm binnen te brengen. Maar de loodsdienst was gestaakt. Elk schip moest proberen veiligheid te zoeken in volle zee. Dat ging niet met de kreupele Viking die verlijerde naar de grauwe rotsen, gehuld in het kokende schuim van een wilde branding.

Het zag er lelijk uit.

De kapitein besloot, na overleg, met minder zeilen naar binnen te gaan. Hoeveel risico's daaraan ook vastzaten, het was beter dan met te weinig diepgang te verlijeren. In het eerste geval kon je tenminste proberen de klippen te ontlopen, hoe moeilijk dat ook zou zijn. Het was niet bekend welke stromingen er om de rotsen liepen en hoeveel deze hen zouden afzetten. En de boeien, die onderzeese rotsen merkten, waren in de kokende golven en in al het schuim van de branding nauwelijks zichtbaar. Maar als ze verlijerden zouden ze stuur- en reddeloos op de klippen lopen.

Om van meer op minder zeilen over te gaan, moesten ze een volle zwaai maken. Daarvoor moesten ze wachten op een gaatje, om niet door een zware golf te worden overvallen terwijl ze dwarszees lagen. Ze wachtten lang. De ene hoge golf was nauwelijks over de bak gerold, of de volgende kwam alweer. Als ze zo'n golf dwars in kregen, liepen ze groot gevaar om te kapseizen. Intussen verlijerden ze steeds meer. De rotsen kwamen gevaarlijk dichtbij. Als ze nog langer wachtten zouden ze gegrepen worden door de branding in plaats van door een dwarse zee. In grote tijdnood gaf de kapitein bevel: 'Stuurboord aan boord!'

Het rad tolde in de handen van de matroos-roerganger; de roermachine steunde en blies. Alle gezichten in het stuurhuis stonden strak van spanning. Eén zware zee op dit moment en het schip zou kantelen met de kiel omhoog. Ze waren al bijna op tegenkoers, toen een reuzengolf omhoog rees. Hij leek op een koningstijger die zijn prooi besprong. Hij rees hoog boven het schip, en stortte er toen op neer met donderend geweld. De Viking steunde en kraakte en het achterschip verdween onder water. Maar de tijger had de Viking niet besprongen toen ze weerloos was; hij trof het hek en niet de midscheeps. Ze waren ver genoeg gedraaid. Het schip richtte zich weer op. En toen was dit gevaar voorbij; ze hadden nu de zee recht achter.

Maar als die tijger vijf minuten eerder had gesprongen!

Ze waren er nog niet. Het ergste kwam nog. Ze moesten tussen tientallen eilandjes en honderden onderzeese klippen door. En ze zagen geen baken. Ze wisten niet in welke richting de getijstroom trok, of hoe sterk die was. Het ging op goed geluk. Men zou ook kunnen zeggen dat ze afhankelijk waren van de Grote Loods.

Een witte muur van schuim markeerde een rots recht tegenover hen. Ze gaven roer om hem aan stuurboord te passeren, maar het schip luisterde niet naar het roer. Ze werden afgezet door een felle stroom dwars op hun koers, recht op de rots af, onafwendbaar...

9 LEEFT VADER NOG?

Weer stond Jaap op het Noorderhoofd de afhaalkotter op te wachten. Hij zag in de verte het bekende zeil. Nu zou straks thuis alles weer goed zijn. Moeder niet langer wit en stil en de zusjes niet ieder ogenblik een huilbui, en bij hemzelf niet langer dat ellendige gevoel: als het toch eens waar was... De kotter kwam met vaart aanzeilen. Jaap bleef hier tot hij zijn vader had gezien. Dan zou hij naar huis rennen met de blijde boodschap: 'Daar komt vader!' en dan zou het thuis in plaats van triest weer vrolijk zijn.

De kotter reed bij ruime wind met wijd gespannen zeilen op de golven. Jaap tuurde scherp of hij zijn vader nog niet zag. Er stond alleen een man aan het roer. Maar de loodsen zouden nu toch wel gauw boven komen.

Daar dook een man op, en nog een. Het waren Douwe en Tjeerd, zag Jaap, knechten op de afhaalkotter. Nu de loodsen... Maar er kwam niemand meer. Bleven de loodsen beneden bij de kachel? Het was mooi, zonnig weer. En ze konden toch wel begrijpen dat er in grote spanning op hen gewacht werd, omdat ze gisteren niet gekomen waren. Waarom kwamen ze niet boven, nu de kotter binnenliep?

Toen het schip langs het hoofd stoof, riep Jaap, de handen als een koker aan de mond: 'Is m'n vader aan boord?'

Hij kreeg geen antwoord. Had moeder tóch gelijk? Was er iets vreselijks gebeurd?

Welnee, de mannen op de kotter hadden hun handen vol aan het schip bij het binnenlopen van de haven. De schipper haalde juist het grootzeil door en zette tegelijk zijn rug schrap tegen de helmstok, en Douwe en Tjeerd lieten de fokken neer en haalden een zwaard op. Ze hadden hem waarschijnlijk niet gehoord, misschien niet eens gezien op het havenhoofd. In ieder geval konden ze hem geen antwoord geven nu het schip naar binnen scheerde. Hij rende hard de pier af, over havenbrug en havenplein en langs het dok naar de steiger van de postboot. Toen hij daar hijgend aankwam, lag de kotter al gemeerd. Hij zag geen loods. Waren ze intussen al van boord gegaan? Dan had hij ze tegen moeten komen.

'Waar is mijn vader?' vroeg hij bang aan de schipper.

'Zeg maar tegen je moeder dat ik straks kom,' antwoordde die ontwijkend.

Hier schrok Jaap erg van.

'Is ie dood?!' schreeuwde hij.

De schipper leek verlegen. 'Welnee, m'n jongen,' zei hij zacht.

'Waar is ie dan?!'

'Dat... ik weet het niet,' aarzelde de schipper.

Jaap vroeg niets meer. Hij draaide zich om en rende weg. De schipper riep hem na, maar de jongen hoorde het niet. Hij rende door op roffelende klompen. Toen hij thuiskwam struikelde hij over de stoep; zijn klompen vlogen alle kanten op. Hij holde de gang door en de keuken in. Daar viel hij jammerend languit op de vloer, trappend en slaand en vreselijk huilend, veel erger dan moeder en de zusjes gisteren.

Schipper Klein, die Jaap meteen achterna gelopen was, zat bij Jane Loots. 'Echt, het is helemaal niet zeker dat er iets met uw man gebeurd is. De loodsboot is nog niet op zijn post teruggekomen. Dat is alles. Maar wie weet waar die zware storm hen heen geslagen heeft. En als ze dan wat averij gekregen hebben aan schip of tuig, kan het een hele poos duren, voordat ze binnenkomen. Het is ook mogelijk dat ze op een van de Duitse waddeneilanden zijn beland. Met zoveel loodsen aan boord, moet het al gek zijn als ze geen haven hebben kunnen bezeilen.'

Jaap stond onder het praten van de schipper op. Hij kreeg weer hoop. Natuurlijk, hij had zich om niks druk gemaakt.

Zijn moeder schudde het hoofd, nadat ze stil geluisterd had. 'Die boot komt niet terug,' zei ze toonloos, maar zeker van zichzelf. En het gaf niet of de schipper beweerde dat zij het veel te donker inzag.

De dagen gingen voorbij, zonder bericht. Men moest nu wel aannemen dat de loodsboot vergaan was en alle loodsen verdronken waren. Maar bewijzen waren er nog steeds niet.

Kinderen kunnen niet lang verdrietig zijn. In het oude huis aan de Noorderhaven werd door de kleintjes weer gespeeld, gejoeld en gelachen. Maar als Jaap thuiskwam en z'n zusjes gierden van de pret, dan werd hij kwaad. 'Schei uit en denk aan moeder!' zei hij streng. En dan was het meteen heel stil in de lange gang. Jaap ging naar binnen. Daar zat z'n moeder te naaien of te breien, soms ook wel met de handen in de schoot. Steeds hoopte hij dat er, terwijl hij weg was, eindelijk goed bericht gekomen was, maar hij zag het al. Haar lippen waren samengeknepen en haar ogen stonden star.

Er kwam bericht dat er op Ameland wrakhout was aangespoeld, afkomstig van de loodsboot. Een dag daarna spoelden op dezelfde plaats drie lijken aan. Nu stond het vast; het schip was vergaan met man en muis. Van de bemanning en de dertien loodsen die aan boord waren, was niemand in leven gebleven.

In de grote kamer van het oude huis aan de Noorderhaven zat Jane alleen bij het suizende gaslicht. De kinderen waren naar bed. Ook Jaap, die in die moeilijke dagen van een wildebras haar trouwe steun geworden was. Hij bleef 's avonds vaak bij haar op, omdat ze de eenzaamheid bijna niet kon verdragen. Ze had hem naar bed gestuurd, omdat de jongen zijn nachtrust nodig had. 'Gaat u nu ook gauw?' had hij haar gevraagd en ze had ja gezegd, maar het niet gedaan. Het was al twaalf uur en nog zat ze bij de tafel met haar stopmand naast zich. Er waren veel gaten te stoppen in jongens- en meisjeskousen, maar dat was niet de reden waarom ze opbleef; zo laat werkte ze weinig. Een hele poos zat ze stil met een sok over haar hand, waarin ze een smalle brug gelegd had over een gapend gat, maar verder kwam ze niet. Ze luisterde steeds of ze zijn stap ook hoorde.

Ach, het was tevergeefs, dat wist ze wel, al was zijn lijk nog niet aangespoeld. Tien loodsen waren er begraven. Drie werden nog vermist; een van die drie was Jan. Hoe vaak bleef een zeeman niet vermist? Dan was hij in het grote zeemansgraf begraven. Ze had geen hoop meer. Die was ze al kwijt, toen de afhaalkotter de eerste keer terugkwam zonder hem. En toch kon ze er niet toe komen om zwarte kleren aan te trekken, zoals de andere vrouwen van de omgekomen loodsen gedaan hadden. De buren keken er haar op aan, wist ze. Haar moeder had tegen haar gezegd: 'Kind, je hield toch wel van Jan?' Ze had een zwarte jurk en zwarte kousen in de kast en één keer had ze die jurk aangetrokken. Maar ze had hem weer uitgedaan. Ze kon niet in de rouw gaan, want ze wachtte nog steeds. Ook deze avond...

Ach, het hielp niet. Ze borg haar stopmand op, kleedde zich uit en deed de bedsteedeuren open. Dit was het grote bed, waarin zij zoveel jaar naast Jan geslapen had. Voor haar alleen was het veel te groot.

Op het moment dat ze erin wilde klimmen, trok ze haar been terug. Het was buiten stil, een rustige nacht. Op dit late uur liep er bijna niemand meer op straat. Al een hele tijd had ze, al luisterend, alleen de rustige pas van een agent gehoord. Nu hoorde ze stappen die haar deden schrikken. Ze kon zich in de stap van Jan toch niet vergissen! Die kende ze uit duizenden.

Ze liep naar het raam, trok het gordijn open en keek in de richting van de buitenhaven, waar hij altijd vandaan kwam als een boot hem had binnengebracht, of als hij met de afhaalkotter thuisgekomen was. Maar de brug was leeg en de straat ook en de stappen die zij zopas gehoord had, klonken nu niet meer.

Ze greep naar haar hoofd. Ze had het zich dus verbeeld, zoals ze zich in haar dromen al zo vaak dit had verbeeld. Bijna iedere nacht was ze wakker geworden van zijn stap, maar nooit was hij gekomen. Nu hoorde ze die stap ook al terwijl ze nog wakker was, en toch was het een droom. Haar hele leven was een bange droom geworden.

Ze ging naar het raam, deed de gordijnen weer dicht en klom bij de zwakke schemer van een nachtkaars in de bedstee.

Toen hoorde ze het slot van de voordeur knarsen, de voordeur open en weer dicht gaan, een voetstap – zijn voetstap! – in de gang.

Ze rilde; haar tanden klapperden en haar knieën knikten... Ook dit had ze in haar droom vaker meegemaakt. Die stappen, de kamerdeur wijd opendraaiend, een loodsen-uniform... Maar het gezicht... 't Was steeds een geestverschijning geweest. En in het oude huis waren 's nachts zoveel geheimzinnige geluiden. Het spookte er, zeiden ze.

Toen ging de deur wijd open. Een man! Haar ogen werden groot van doodsangst.

10 GERED DOOR DE GROTE LOODS

De kapitein van de Viking stond met een wit vertrokken gezicht en stijf op elkaar geklemde tanden naast Jan Loots. Hij had zijn schip niet in de macht. Het roer lag stuurboord aan boord, maar het schip stoof recht vooruit door het kokende schuim van een woeste branding naar de rots.

Ze konden niet ankeren, want de zee was veel te diep. Ze konden niet eens in de boten gaan, want er was geen tijd om die te strijken. Ze waren reddeloos verloren.

En kijk... Vlak voor de rots boog de boeg plotseling af. De boot liep *langs* in plaats van *op* de rots. Met een brede zwaai schoot de Viking eromheen.. Een tegenstroom, dicht langs de rotsen lopend, had hen op 't laatste ogenblik gegrepen en aan het gevaar ontrukt.

'Dat noem ik boffen!' riep de tweede stuurman opgelucht. Jan Loots zweeg. Hij dacht dat dit nog iets anders was dan boffen.

Ze waren er nog lang niet. Aan alle kanten rezen rotsen op en rondom raasde de branding over onderzeese klippen. Het was onmogelijk te sturen door de smalle geul die de kaart daartussen aangaf, want steeds rukte de sterke stroom hen uit hun koers. Ze voeren in het wilde weg... op Gods genade.

Nu ze niet langer konden sturen, werden ze door de Grote Loods geleid. Nauwelijks luisterend naar het roer zeilde de Viking met weinig zeil tussen alle klippen van de Bukke Fjord door en kwam, steeds meer door de rotsen tegen het geweld van de oceaan beschut, eindelijk in kalmer water. Tenslotte lagen ze in Stavanger voor de wal.

Jan Loots keek hier rond naar een schip waarmee hij naar Nederland terug zou kunnen gaan, maar er was er niet een. Daarom ging hij met de Viking verder, nadat de lui van de machinekamer de storing hadden verholpen. In Bergen zou misschien een schip voor Nederland zijn. Het was nog ruw weer, maar van Stavanger via Haugesund naar Bergen varend, hadden ze daar geen last van. Een lange keten van rotseilanden, groot en klein, strekte zich uit voor de Noorse kust en beschermde alles wat daarachter voer nog beter dan de waddeneilanden de scheepvaart op het wad. Aan bakboord zagen ze de rotsen, die vaak gehuld waren in wolken van wit schuim en stuivend water, afkomstig van de woedende golven die hen beukten, terwijl zijzelf rustig over kabbelende golfjes voeren. En het was hier ook niet lastig navigeren; het vaarwater was ruim en diep. Aan stuurboord was het bergachtige vasteland van Noorwegen. Vooraan op de hellingen bos, afgewisseld met akkers en weilanden, hoger naakte rotsen, nog hoger sneeuw en ijs. Soms gingen de kammen van de bergen schuil in wolken, maar telkens brak de lucht en dan maakte de zon de sneeuw verblindend wit, scherp contrasterend tegen de blauwe hemel.

Tegen het vallen van de avond kwamen ze voor Bergen. Bij daglicht zagen ze nog de houten buitenhuizen, ver van de stad gebouwd, met op ieder erf een hoge paal, waaraan de Noorse vlag gehesen was. Toen ze de stad recht voor zich kregen, was het schemerig geworden en overal brandden lichten. De benedenstad leek op een vurig hart, waaruit gouden stralen waaiervormig naar boven schoten. Want overal brandden lampen, tot hoog op de bergen rondom Bergen.

In zijn stuurmanstijd was Jan Loots veel havens binnengelopen. Behalve New York, met het Vrijheidsbeeld en de wolkenkrabbers van Manhattan, hadden ze hem niets gedaan. Alle havensteden hebben hetzelfde gezicht: kaden, kranen, ijzeren loodsen en betonnen pakhuizen. En het leek wel of door de geweldige indrukken die je opdoet als je jarenlang op de wilde vaart zit en dus de hele aardbol rondzwerft, het vermogen om van nieuwe dingen te genieten, afslijt.

Nu hij na lange tijd voor het eerst weer vreemde havens zag, was dat heel anders. Stavanger en Haugesund waren heldere stadjes van houten huizen tussen rotsen geklemd. Maar hij genoot vooral van Bergen, van het oude Hanzekwartier met houten huizen en pakhuizen aan straatjes met houten plaveisel. En van de nieuwe stad vol vis, doorwaaid van zeewind, steeds hoger tegen de bergen opklimmend.

Weer keek hij uit naar een schip voor Nederland. Die morgen was er een boot naar Rotterdam vertrokken. Een ander schip voor Nederland lag niet in de haven. Hij zou misschien lang moeten wachten, voordat er een kwam, en hij wilde niet wachten, want hij verlangde naar huis. Toen nam hij maar de trein naar Oslo, om via Duitsland naar het vaderland te gaan. De spoorlijn liep eerst langs een fjord, die diep insneed in het land, en klom daarna, eerst langzaam, later steiler. Het was nacht, maar de maan scheen helder. Uit de trein had Jan het stille water van de fjord zien spiegelen in het maanlicht. Toen ze in de sneeuw kwamen, werd het bijna zo licht als overdag. De gletsjers glommen koud in de manestralen.

De laatste trein, na Franeker bijna leeg, reed schommelend langs de tichelmolens aan de trekvaart, vaag zichtbaar in het licht van de maan. Jan Loots stond voor het raam van zijn coupé en keek vooruit. Hij zag van tijd tot tijd een licht opflitsen in het noordwesten. Dat was Terschelling, wist hij, het licht van de Brandaris. Hij kwam steeds dichter bij z'n huis.

De trein schoof tussen hekken en loodsen door en stond stil voor het stationnetje, een bouwsel uit een blokkendoos.

Hij liep door het kleine park, langs een oud grachtje; zijn voetstappen echoden tegen de gevels in de stille nacht. In de Zuiderhaven lag een houtboot om gelost te worden. De houtvlotters hadden blijkbaar haast gehad toen het zes uur was, een bundel balken hing in een strop boven de reling. Het was net of er lijken bungelden aan een galg, luguber om te zien in het bleke maanlicht.

Het stadje sliep. Jane zou ook slapen. Hij verlangde naar haar. Met een glimlach bedacht hij dat het maar goed was dat hij loods geworden was. Voor de grote vaart zou hij niet meer deugen; hij kon geen week buiten z'n vrouw. Hij was nu vlakbij huis. Om haar te verrassen ging hij op zijn tenen lopen, zodat zij, licht slapend, niet wakker zou worden door zijn stap. Voorzichtig stak hij de sleutel in het slot. Het knarste toch en de deur piepte bij het openen. In een oud huis knarste en piepte en kraakte alles. Ook in de gang kon hij niet helemaal stil zijn; de loper was versleten door zeven paar kindervoetjes. Door een kier van de kamerdeur zag hij flauw licht. Dat was de nachtkaars, die Jane altijd branden liet; hij stond op het kastje bij de bedstee. Bij dit zwakke licht zou hij haar hoofd op het kussen kunnen zien. En dan wilde hij haar wakker maken met een zoen...

Hij schrok bij het openen van de kamerdeur. Daar stond Jane, haar wangen even krijtwit als haar nachthemd, haar handen stevig vast om de beddenplank, haar ogen wild van angst. Waarom...?

'Jane!' riep hij van streek.

Ze gaf geen antwoord; haar ogen werden nog groter. Het was een droom; ze zag een spook.

'Vrouw!' riep hij nog eens, naar haar toelopend.

Toen was het genoeg.

'Jan!' schreeuwde ze, rauw en jubelend tegelijk. Ze stortte zich in zijn armen, lachend en huilend; ze omhelsde en kuste hem. Het wás hem, Jan, haar man, geen spook! En ze droomde niet, het was volle, heerlijke werkelijkheid. Ze had hem weer teruggekregen uit de dood. Ze praatte er stamelend en verward over.

Jan begreep er niets van. Waar had ze het over? Waarom had ze in doodsangst over hem gezeten? Westra en Groothuis hadden de boodschap toch over gebracht dat hij met die Noor naar Bergen was gegaan, omdat het in het gat te erg was voor de loodsjol.

'Was jij niet op de loodsboot die vergaan is; niet bij de loodsen die verdronken zijn?' vroeg Jane.

Nu was het zijn beurt om verbijsterd te zijn.

Toen vertelde Jane hem dat ze geen boodschap had gekregen; dat Westra, Groothuis, of een van de andere loodsen op de schoener geen boodschap had kunnen brengen, omdat de loodsboot vergaan was met man en muis.

Jan was sprakeloos. De schoener, sterk en zeewaardig, vergaan. Zijn makkers omgekomen: Westra, Groothuis, Blanksma, Cupido, Stobbe, Souverein en al de anderen... En hij behouden in diezelfde storm, dóór die storm! Want als het in het Stortemelk niet zó gespookt had dat de jol niet varen kon, was hij op het vergane schip gestapt en dan was hij verdronken met zijn vrienden. Hij was bewaard die dag en later weer, toen ze bijna stuurloos door de kokende branding en tussen de ontelbare klippen van de Bukke Fjord werden gejaagd. Hij was bewaard en thuisgebracht, niet door zijn zeemanschap of door de kunde van de Noorse kapitein, maar door de almacht van de Grote Loods.

11 DE ZIEKENBOEG

'Wees voorzichtig bij het in de jol gaan,' zei Jane altijd als Jan de deur uit ging. De waarschuwing was zo stereotiep dat hij ze nauwelijks hoorde en vaak gedachteloos ja zei. Ook als ze het bij winderig weer met nadruk zei, maakte het geen indruk op hem, omdat hij het overstappen op zee doodeenvoudig vond. Hij had het al duizend keer gedaan en had nog nooit een ongeluk gehad. Jane maakte zich altijd ongerust om niets, over de kinderen en ook over hem, vond Jan. Het was vast een teken van haar trouwe zorg voor hem, maar ze maakte het zich onnodig moeilijk door altijd zo'n pak zorgen op haar rug te dragen. En ze maakte het hem daarmee ook weleens lastig.

Ze keek hem na toen hij wegging. Dat deed ze altijd. Op de havenbrug draaide hij zich om voor een laatste groet, zoals altijd. Ze wuifde naar hem. Hij had de stormband om zijn kin; z'n jas wapperde hem strak om de benen. Hij leunde achterover tegen de wind, die met geweld uit zee waaide door het gat bij de brug. Daarna verdween hij uit haar gezichtsveld, worstelend tegen de storm. Jane zag alleen nog het grauwe water in de buitenhaven. Driftige golven vol vuil schuim, en daarachter, zwart tegen donker zwerk, de puntzak die zuidwester storm aangaf, zwierend aan een walmast.

Ze rilde en klappertandde een beetje. 't Kwam aan de ene kant doordat de wind door de kieren van de oude ramen waaide, zodat de vitrages heen en weer bewogen. Aan de andere kant uit zorg om hem. Sinds de ramp met de loodsboot was ze bij stormweer veel ongeruster dan daarvoor. Er was een nieuwe loodsboot gekomen, héél stevig en sterk, had Jan haar verteld. Menselijkerwijs gesproken kon daar niets mee gebeuren. Ze wilde hem wel geloven. Maar er lagen zoveel andere gevaren op de loer. De jol was klein en het Stortemelk was woest. En bij zo'n woeste zee moest hij van een groot schip overstappen in het jolletje. Ze wist wel dat Jan het duizend keer gedaan had en dat het altijd goed gegaan was. Dat hij er helemaal vertrouwd mee was, omdat hij precies wist op welk moment hij de sprong moest maken. Maar hij hoefde maar één seconde te laat te zijn en hij zou naast de jol terechtkomen in plaats van erin, of één seconde te vroeg en zijn been zou tussen jol en schip verpletterd worden. In haar gedachten had ze dat al vaak zien gebeuren en dan rilde ze van angst. Hij lachte altijd haar angst weg en ze geloofde ook wel dat die overdreven was, maar ze kon die niet van zich afschudden. Vooral bij ruw weer kwam die telkens weer terug. In stormnachten, als ze alleen in de bedstee lag omdat hij een boot wegbracht of haalde, zag ze hem op de loodsladder staan. Een klein figuurtje tegen de enorme scheepswand, vlak boven de wilde zee. En dan zag ze ook de loodsjol, zo klein op de woeste golven, nu kantelend op een hoge kam, dan weggezonken in een golfdal. Ze zag Jan springen... naast de jol. Dan werd ze wakker, bevend van schrik, zwetend van angst. Ze hield zichzelf voor dat het dwaas en zondig was zo bang te zijn.

Ze had toch wel vertrouwen in haar man, een voorzichtig en ervaren zeeman! Ze vertrouwde toch op God!

Jan stapte aan boord van de Professor Buys, een boot die iedere week een reis naar Hull maakte. Hij had hem al ontelbare keren naar en van het Vlie geloodst. Zodra hij op de brug stond, was het: 'Voor en achter.' Het schip was deze keer zo maar uit de wal: de wind was gunstig. Intussen hadden jollemannen al kabels uitgebracht om de boot uit het dok te trekken. De winches draaiden waar de schroef nog weinig kon doen. Er werden nog een paar kabels uitgeroeid, totdat de Buys dicht bij de havenmond was. Toen kwam het eropaan het schip op koers te hebben op het moment waarop de laatste kabel los ging. Anders zouden ze op de pier afdrijven; bij een harde wind uit het zuidwesten kon dat gemakkelijk gebeuren. Maar Jan vond dit alleen een gevaarlijke manoeuvre als hij een vreemd schip bij harde wind naar buiten moest brengen. Van de vaste boten wist hij precies hoe ze reageerden op schroef en roer. Ook met de Buys kon hij lezen en schrijven.

Het ging deze keer weer prima. Nog voordat de laatste tros werd losgegooid, had hij al 'Halve kracht!' bevolen, en op het moment waarop de lus over de dukdalf schoot, had het schip al gang. Tussen de hoofden gaf hij volle kracht en de Professor ging meteen boksen met de brekers; het buiswater stoof over de brug. Bij stormweer was er vlak voor de pieren altijd een flinke deining, maar bij de Pollendam was het al over en tot het Vlie hadden ze, als altijd, een kalme vaart. In het Stortemelk was het natuurlijk muizen en toen de loods van boord moest, gingen de Buys en de loodsboot allebei tekeer.

Toch was het niet zo erg als toen met die Noor. Op de loodsboot werd de jol gestreken. De riemen gingen uit. Het bootje rees en daalde en kwam dichterbij.

Jan Loots ging van de brug af. Hij groette de kapitein en de stuurman met 'Behouden vaart!' Die wensten hem wel thuis.

De loodsladder hing al uit; de jol kwam dichterbij. Jan klom over de reling en daalde sport na sport de ladder af, die langs de scheepswand slingerde op de maat van het stampen van het schip. Hij daalde steeds dieper af. Toen hij beneden was, op zo'n hoogte dat de golven net onder zijn voeten langs de scheepswand gingen, bleef hij wachten. De jol was er nog niet. Hij keek naar boven. De scheepswand leek erg hoog en breed, als je er als een vlieg tegenaan geplakt zat. En de zee was erg woest, wanneer je er om zo te zeggen met één been in stond. Jane zou rillen, als ze hem hier zag staan op de slingerende ladder. En toch was het helemaal niet erg. De jol kwam zo langszij en dan was het een kwestie van geduld en vaardigheid. Nooit een grote sprong maken; daar kwamen ongelukken van. Ook niet springen als de jol omhoog kwam; dan kon je je benen knijpen. Nee, rustig wachten tot de jol net begon te zakken en dan kalm overstappen. Dan was het niets. Hij stapte warempel gemakkelijker in een jol dan uit de bedstee, waar hij eerst over zijn vrouw heen moest klimmen.

Daar kwam de jol. Van een golftop duikelde hij in een dal om daarna weer langs een rug van water omhoog te klimmen. Eindelijk schoot hij langszij.

Jan wikte en woog op welk moment hij zou overstappen. Op het ogenblik dat de jol recht onder hem was, rees hij juist uit een dal omhoog. Dit moment was niet geschikt. Hij liet de boot daarom voorbijgaan. Toen de jol terugkwam rees hij vlakbij hoog op een golftop en kwam er met zo'n vaart aan, dat Jan vlug een paar sporten op de ladder moest klimmen om niet met zijn benen tussen jol en schip beklemd te raken. De derde keer liep het weer mis. Op korte afstand van de ladder botste de jol tegen de scheepswand en door de terugstuit dreef hij af.

'Nou, wordt het wat, loods?' riep een stem van boven. Het was de kapitein van de Buys, die ongeduldig werd.

Jan bleef er kalm onder. Al moest 't een uur duren, hij zou niet overstappen vóór het zonder gevaar kon. Maar de leerling-loods, die de jol bestuurde, werd zenuwachtig. Hij stuurde nog eens naar hem toe.

'Ja, loods,' riep hij om Jan aan te moedigen.

De afstand was te groot naar Jan z'n zin; hij liet de jol nog eens voorbijgaan.

Toen de jol voor de vijfde keer langskwam, waren de omstandigheden gunstig. Het bootje reed op een golftop, die juist begon te slinken. Jan kon nu, zoals hij altijd deed, van de touwladder op het boord van de jol stappen, de volgende stap op een roeibank en dan meteen zich laten zakken om het lichte bootje niet topzwaar te maken. Jan stapte en liet de ladder los.

Hoe het precies gebeurde was later moeilijk te reconstrueren. Misschien had de jol een onverwachte beweging gemaakt.

Misschien was het boord glad geweest. Hoe het ook kwam, hij gleed uit, struikelde en viel over een roeier heen. Zijn knie raakte bekneld tussen boord en roeibank.

Zolang ze naar de loodsboot roeiden, bleef hij liggen, vreemd moe; zijn been deed erg pijn. Maar het zou wel overgaan; hij had straks gelegenheid genoeg om te rusten. Toen ze bij de loodsboot waren, wilde hij gaan staan, maar hij zakte kermend in elkaar. Ook met behulp van de anderen kwam hij niet overeind.

Ze hadden op de loodsboot de middelen om een gewonde aan boord te halen. Een brancard ging in de jol en Jan erop. Toen hees de takel, waarmee de jol gestreken en gehesen werd, hem op. Door de hoge zee stootte de brancard tegen de reling. Een felle pijn scheurde Jan door het been. Maar toen hij in de ziekenboeg lag, voelde hij zich wel aardig.

Zodra ze in de haven lagen, stuurde de schipper van de afhaalkotter iemand om een dokter te halen. Intussen kwam Jaap en vroeg waar zijn vader was. Door een open patrijspoort hoorde Jan de stem van z'n zoon, bang. 'Laat de jongen hier komen,' vroeg hij aan de kok, die beneden bezig was. Jaap kwam in de roef en schrok toen hij zijn vader op de kooi zag.

'Het is niets,' zei die. 'Alleen een zeer been, daardoor kan ik niet lopen. Ik kom straks met een rijtuig thuis. Rijk, hè! En volgende week is alles weer over. Zeg dat maar tegen moeder.'

Met die boodschap ging Jaap naar huis. Maar toen de dokter kwam en de gewonde onderzocht, trok die een ernstig gezicht. Het waren een paar gecompliceerde breuken. Hij moest direct naar het ziekenhuis.

Tijdens het transport en toen hij in een witte zaal op bed lag, maakte Jan zich meer zorgen om zijn vrouw dan om zichzelf. Ze was altijd zo erg bezorgd. Toen de schoener met de dertien loodsen was vergaan, had ze zo'n angst gehad en vanmorgen had ze hem bijna krampachtig gewaarschuwd voorzichtig te zijn bij het overstappen. Nu was ze vast van de kaart.

'Meneer Loots, uw vrouw komt u opzoeken, is dat niet fijn?' zei de zuster beroepsmatig opgewekt.

Jan ging recht liggen en probeerde te glimlachen, al ging dat moeilijk, want hij kreeg steeds meer pijn. Maar hij wilde zich goed houden nu Jane kwam.

Jane was niet in tranen. Ze was opgewekt en sprak hem moed in. 'Gelukkig dat je er zo afgekomen bent; het had veel erger kunnen zijn. Dat je niet lopen kunt, wel, je kunt het nu mooi rustig aan doen. Eerst hier, straks thuis; dan ben je eens een poosje bij me. Dat zal gezellig zijn!'

Ze fleurde hem op, terwijl hij had gedacht dat hij haar uit de put moest halen. Nu vond hij het ook niet zo erg meer en hij voelde al minder pijn. Het leek hem wel wat straks iedere dag bij haar thuis te zijn.

'Je bent een schat!' prees hij haar, zo luid dat ze bloosde, omdat de andere patiënten op de zaal het hoorden.

Maar Jan trok zich er niets van aan. 'Jullie mogen het best weten, hoe 'n goeie vrouw ik heb,' zei hij nog harder.

De mannen in de andere bedden lachten en Jane werd nog roder, maar ze voelde zich ook gevleid.

's Middags kwam de chirurg. Hij betastte Jan z'n been, dij en knieschijf zonder een woord te zeggen. Toen Jan hem vroeg hoe het erbij stond, zei hij dat hij 't nog niet wist. Zacht pratend met een andere dokter liep hij weg.

Jan was bleek geworden. Na Jane's bezoek was de pijn veel erger geworden, vooral in de knie. Daarvoor had hij zich over de gevolgen niet zo druk gemaakt: een gebroken been, dat was gauw weer in orde. Maar die pijn in zijn knie, en de dokter was zo vaag geweest. Iets aan de knie was erger dan een gebroken been, wist hij. Daar hield je weleens wat van over: een stijve knie of een been waar je niet meer op lopen kon. Stel je voor dat hij invalide werd en in een rolstoel gereden moest worden. Of altijd in een stoel moest zitten, of misschien op bed moest liggen, zoals die zeeman die altijd voor het raam lag in een straatje waar Jan doorliep naar de haven. Als dat gebeurde... Hij kon die nacht niet slapen. Zijn temperatuur liep op. De zuster zei dat hij de moed niet moest laten zakken, maar het hielp niet.

Toen Jane de volgende dag op bezoek kwam, zag ze meteen dat hij piekerde. Ze vroeg waarom. Hij draaide er eerst omheen, maar ze kreeg het er wel uit.

Toen ging ze zachtjes met hem praten, zodat de anderen in de zaal het niet konden horen. Ze suste niet dat hij 't te somber inzag. Ze had met de dokter gesproken en wilde wel erkennen dat het best een stijve knie zou kunnen blijven. Dan zou hij worden afgekeurd als loods en ze begreep best dat dit een bittere pil voor hem zou zijn. Maar ze vroeg hem of hij zijn vertrouwen op God nu helemaal verloren had. Die had hem immers wonderlijk bewaard. Hij zou in ieder geval kracht naar kruis geven. Tenslotte bad ze met hem en voor hem, terwijl zij hun handen in elkaar vouwden.

Bij het weggaan gaf hij haar een zoen en fluisterde haar meteen in het oor: 'Ik heb nooit geweten, Jane, dat jij zó sterk was. Veel sterker dan ik.'

Haar glimlach werd krampachtig en ze veegde snel met haar zakdoek langs de ogen. 'Ik sterk? Ach jongen...' Maar meteen was ze weer monter. 'Kop op, Jan! Alles sal reg kom!'

Op de operatiekamer waren ze lang met hem bezig en daarna duurde het nog een hele poos, voor hij weer bijkwam. Het eerste wat hij zag, vaag in het schemer, was Jane's lieve gezicht. Onmiddellijk zakte hij weer weg. Toen hij weer bijkwam, ontdekte hij dat ze naast hem zat en zijn hand vasthield. Het was of zij hem omhoog trok uit een diepe, donkere kuil.

De chirurg bleef vaag in zijn mededelingen. Hij zei alleen dat de knieschijf een moeilijk geval was en dat hij over hoe het verder zou gaan, niets kon voorspellen. Ze moesten afwachten.

Het wachten duurde lang. Jan lag vijf weken in het ziekenhuis. Hij verlangde naar huis, veel sterker dan hij op een zeereis ooit naar huis verlangd had.

Eindelijk mocht hij naar huis. Het ging met het rijtuig; zover was hij alweer. Maar bij het uitstappen en naar binnen gaan hinkte hij op één been en moesten Jane en Jaap hem steunen, ieder aan een kant.

De kinderen dansten op de stoep van blijdschap. De kamer stond vol bloemen van vrienden en collega's. Het was een feestelijke thuiskomst, die hem deed vergeten dat hij ziek was.

Maar de volgende dag voelde hij zich hulpeloos. Jane had hem moeten aankleden. Zij en Jaap hadden hem moeten dragen van het bed naar de leunstoel bij het raam. Daar zat hij, zich verbijtend van de pijn, in zijn stoel, net als de zieke zeeman uit het Prins Hendrikstraatje. Hij kon het leven alleen door het kleine stukje raam zien. En hoe lang zou het duren? De dokter kon nog steeds niets met zekerheid zeggen. Best mogelijk dat hij een jaar moest liggen, misschien wel levenslang.

Toen Jane binnenkwam met koffie, nadat ze in de keuken bezig was geweest, vond ze hem stil en verdrietig. Ze begreep wat eraan mankeerde.

Deze keer zocht ze het niet in veel woorden. Het enige wat ze zei was: 'Wat zijn we blij dat je weer bij ons bent.' Toen omhelsde ze hem en lachte.

En wat kon hij toen anders doen dan ook een beetje lachen?

Na negen weken werd het beter. De pijn, die lang geplaagd had, verdween langzaam. Hij kon weer lopen, maar wel met een stijf been. De dokter was tevreden. 'Je blijft geen invalide, Loots,' zei hij.

Hij was heel dankbaar, maar hij had nog één zorg. 'Houd ik geen stijve knie?' vroeg hij.

Daar kon de dokter nog niets over zeggen.

Drie maanden na het ongeluk moest Jan naar de arts, die de loodsen moest keuren. Hij zat in de wachtkamer met een kloppend hart, want hij liep nog niet goed en de keuring was erg streng.

Toen hij ervandaan kwam, kon hij wel zingen.

'Vrouw, ik ben goedgekeurd; ik mag weer varen!' begroette hij haar juichend.

'Zul je nu erg voorzichtig zijn bij het overstappen?' was haar eerste reactie, precies zoals ze vroeger altijd had gezegd.

'Dat zal ik,' beloofde hij, nu niet gedachteloos. En daarop:

'Achteraf vind ik dit ongeluk niet eens erg, Jane. Ik had anders nooit geweten dat ik zo'n sterke vrouw had.'

Ze lachte zacht en mompelde iets. Het waren een paar zinnen uit de catechismus, die ze jaren geleden had geleerd: ...en dat Hij al het kwaad dat Hij ons toeschikt ons ten beste keren zal.

Toen ging ze vlug thee zetten, want hij had dorst, had hij gezegd.

12   BIJNA AVERIJ

T ot nu toe had Jan Loots zelf verandering gewild, maar de
overplaatsing naar IJmuiden was niet vrijwillig.
Het beviel hem wel in het Friese havenstadje, waar het kleine
loodsenkorps, weer aangevuld na de ramp, een hechte eenheid
vormde. Ook Jane was niet voor verhuizen; ze hadden het goed
in haar geboorteplaats. Maar de kinderen waren blij toen ze hoorden dat ze, na Zeeland en Friesland, naar Holland gingen. In hun
ogen was dat het toppunt van grootheid, avontuur en rijkdom. Ze
werden even rustig toen hun moeder zei dat ze nooit meer zo'n
huis zouden krijgen als ze nu hadden. In de marmeren gang konden ze rennen en springen, knikkeren en tollen, en op de grote
zolder waren veel donkere hoeken waarin ze zich heerlijk konden verstoppen. Jaap bedacht dat hij zijn dakkamertje zou mis-
sen, dat uitkeek op zee, zodat hij op zomermorgens uit zijn bed
de vissers in hun botters kon zien zeilen. Op ruwe herfstdagen
kon hij de wilde golven zien rollen over de platen van het wad.
En elke avond keek hij een poos naar de Brandaris, die zijn lange
lichtwieken over zee liet zwaaien.
Maar de bezwaren waren niet zo groot dat ze niet snel waren vergeten. Ze mochten dan in IJmuiden niet hun oude huis terugvin-
den, ze zouden er kunnen dwalen door de duinen en zonnen
aan het strand en stoeien in de branding. En Jaap zou in IJmuiden
naar de sluizen gaan en daar de grote boten zien. De reuzen van
de Koninklijke Hollandse Lloyd en die van de 'Nederland' en veel
buitenlanders. Hij herinnerde zich nog best dat hij in Vlissingen
schepen had gezien die veel groter waren dan er ooit in
Harlingen kwamen. Maar die bleven daar altijd op een afstand;
hij had ze van het havenhoofd de Schelde zien op- of afgaan. In
IJmuiden kwamen ze in de sluis; hij zou erbij staan. Misschien

mocht hij er weleens op. Hier bracht hij zijn vader vaak aan boord als die een schip uitbrengen moest. Ook was hij weleens meegevaren naar het Vlie en met de afhaalkotter weer terug. Misschien mocht dat in IJmuiden ook wel; als loodszoon had je een streepje voor.

Ze gingen. Het was een lange treinreis om de Zuiderzee. De kinderen waren in de wolken over het gloednieuwe huis. De meisjes trokken alle dagen naar het strand en Jaap zat elk vrij uurtje bij de sluizen, waar het nog interessanter was dan hij verwacht had. Want terwijl door de bestaande sluizen grote schepen werden geschut, was daarachter een duizelingwekkend diepe put, waar op de bodem een mierenhoop krioelde. Het waren arbeiders, die zand groeven en ijzer vlochten. Een hele batterij betonmolens mengde zand, grind en cement. Tussen enorme houten wanden werd beton gegoten. Dit leger van waterwerkers was bezig een nóg grotere sluis te bouwen, de grootste van Europa. 't Was een gigantisch werk.

Jane miste de gezellige bedrijvigheid van lossende en ladende beurtvaarders en lawaaimakende sleperswagens, die er voor haar huis in Harlingen was geweest, en ook de ruimte en de wat vervallen voornaamheid van het huis aan de Noorderhaven. De nieuwe straat met allemaal dezelfde huizen was eentonig en het huis had geen karakter. Maar het had wel gemak: elektrisch licht, een closet met waterspoeling en zelfs een bad. Dit laatste vond Jane een dwaze luxe; ze had de kinderen in de tobbe ook wel schoon gekregen. Maar sinds ze de kleintjes twee aan twee in de badkuip rond liet springen, waardeerde ze de nieuwigheid.

Jan Loots had niet zoveel met IJmuiden opgehad, omdat hij dacht dat er in het loodsen daar niet veel muziek zou zitten. En op zee was dat ook zo. De slenken van het Wad waren bij springtij diep en bij doodtij, vooral met oostenwind, bijna onbevaarbaar. Hier daarentegen had hij van de uiterton tot aan de pieren maar een paar mijl in rechte lijn te varen, een koers waar altijd genoeg water stond. Maar dan kwamen het Noordzeekanaal, het afgesloten IJ en de Amsterdamse haven. En daar zat wel muziek in, leerde Jan al snel. Je kon er een hele hoop verschillende en onverwachte moeilijkheden tegenkomen.

Het was op een dag in maart. Jan Loots moest een Spaans schip naar binnen brengen. Toen hij op de brug kwam, leek het zomer. De Noordzee vonkte in het zonlicht, dat warm door de grote ramen van het stuurhuis scheen. De duinen met hun ronde ruggen leken op een grote kudde schapen. De pieren sprongen donker uit de kust naar voren. Het kostte niet de minste moeite de beide vuurtorens te zien, waarop hij, nadat ze in één lijn waren gebracht, moest koersen. Maar toen de Alcarez zijn neus tussen de hoofden stak, barstte er opeens een harde sneeuwbui los en blies de wind met felle stoten. Jan Loots stond op het open gedeelte van de brug en al droeg hij een dikke waakjas, het was net of hij in zijn zwembroek stond, zo waaide de scherpe wind door alles heen. De sneeuw – het waren dikke waterige vlokken – maakte het zicht slecht. Op het kompas zag hij dat het schip uit zijn koers werd gedrukt. Hij liet tegenroer geven, maar op dat ogenblik werd hij helemaal verblind door sneeuw. Pas op het laatste moment zag hij dat ze op de noorderpier aanliepen. Ze kwamen op het nippertje vrij. Daarna was het weer zoeken om niet op het forteiland terecht te komen en om het toeleidingskanaal naar de middensluis te vinden. Toen ze geschut werden, was de bui voorbij en scheen de zon weer zomers, maar nauwelijks waren ze in het Noordzeekanaal, of er waren weer maartse vlagen.

Ze moesten vastmaken aan het remmingswerk voor de Velser spoorbrug, omdat die gesloten was. Toen hij openging, was het schip moeilijk op koers te krijgen; de wind drukte de boeg met kracht naar lager wal. Pas nadat van het voorschip een draad was uitgebracht, lukte het. Ze voeren in een zware sneeuwbui door de smalle doorgang. Op dat moment kwam er van de andere kant een sleepboot uit de bui tevoorschijn. Jan Loots dacht dat het een losse boot was die gemakkelijk te passeren was. Maar achter de tug dook een grote rijnaak op en daarna nog een; 't was een sleep.

Er was niet genoeg ruimte om te passeren en er was ook geen mogelijkheid om achteruit te slaan of te meren; ze zaten in de doorgang van de brug. De Spaanse kapitein begon nerveus te schelden op de sleepboot en te jammeren over zijn schip. De stuurlui, ook op de brug, maakten nog meer lawaai; de roerganger stond aan zijn rad te springen, terwijl van het voorschip angstig werd geschreeuwd. Ze waren allemaal overstuur.

Jan Loots gromde iets van 'zenuwlijers'. Het kostte hem moeite om in zoveel opwinding en angst zijn hoofd koel te houden. Toch gaf hij zijn bevelen. Hij liet vaart meerderen om beter stuur in het schip te krijgen, op gevaar af dat de rijnaak werd geramd.

Het werd een botsing. Toen maakten de Spanjaarden op het voorschip nog veel meer lawaai. Maar het was maar een schamp geweest, op het laatste ogenblik verzacht door een op Jans bevel gepresenteerde kurkzak. Ze hadden geen averij.

De aangevaren aak maakte echter een zwaai en trok zijn achterligger mee. Daardoor kwamen de schepen dwars in het kanaal te liggen.

Het Spaanse schip lag er nu lelijk voor, geklemd tussen brug en bruggenhoofd en vóór de boeg lag de verwarde sleep. En dan had Jan ook nog te maken met een kapitein en bemanning die het hoofd kwijt waren.

Hij boog zich over de bakboordsreling van de brug. In de diepte lag de sleepboot. Hij kende de kapitein, die was wat zorgeloos maar flink.

'Trek wat je trekken kunt, Dirk!' riep hij naar beneden. 'Dan help je mij uit de penarie.'

'Ay, ay!' schreeuwde Dirk terug.

Jan zette de telegraaf op halve kracht vooruit. De Spaanse kapitein gilde dat het mis ging. 'Je ramt die laatste aak, loods!'

En inderdaad liep de Alcarez op de rijnaak aan.

'Wilt u het anders, u bent de baas, kapitein,' zei Jan en deed een stap terug. 'Ik ben maar adviseur.'

'Nee, ga je gang.'

De sleepboot zette intussen stevig aan, zodat de aken uit hun dwarse positie in de rechte richting van het kanaal gleden. De Spanjaard en het Hollandertje gaven elkaar een nogal harde zoen, die wat verf meenam. Daar bleef het bij. Zeeschip en rijnsleep gleden elkaar voorbij.

Tijdens de vaart door het Noordzeekanaal was het mooi weer. 't Leek of ze door een zee van het klaarste groen voeren, zo fris schoot in de IJ-polders de wintertarwe uit de grond.

Bij de Hembrug hadden ze een uitgaand oorlogsschip als tegen-ligger, maar dit gaf geen probleem omdat deze brug twee door-gangen had, beide breed genoeg. Ze kwamen op het afgesloten IJ, vlak voor de stad, waar het krioelde van klein spul. Twee lan-ge slepen van de gemeentereiniging, verscheidene zolderschui-ten, de meeste zwaar beladen en een aantal heen-en-weertjes. Luxueuze witte rondvaartboten, marinesloepen, directiebootjes; de ponten, langzaam over en weer zeulend, en ook een paar gro-te boten die naar zee gingen. Op dat moment begon maart zijn staart weer eens flink te roeren. Een dikke bui bracht een stoot wind met sneeuw en hagel. Bij vals zonlicht zag Jan nog even het drukke bedrijf op het water over de volle lengte van het IJ. Toen sloeg het zicht dicht en was er alleen dicht dwarrelende sneeuw, waaruit van alles kon opduiken. Gevaarlijk varen!

Jan had in ieder geval dit voordeel dat de Spaanse kapitein na wat er gebeurd was bij de Velser brug zich niet meer met zijn werk bemoeide. Hij was boven gebleven, zoals zijn instructie hem voorschreef, maar hij zat achter in het stuurhuis, verdiept in een romannetje. En Jan had de uitkijk ingepeperd: 'Als het zicht slecht wordt, rapporteer je dadelijk alles wat je ziet, maar verder geen geschreeuw en geen adviezen. Ik maak uit hoe er gema-noeuvreerd moet worden, snap je?' De matroos had hem bele-digd aangekeken. Zijn Spaanse trots kon het maar moeilijk heb-ben dat een vreemdeling hem bevelen gaf. Maar Jan was niet gezwicht en toen was het gevecht met de ogen snel beslist geweest. 'In orde, señor,' had de matroos gezegd en hij was naar zijn post gegaan. En nu gaf hij informaties door de telefoon: 'Een sleepboot over bakboordsboeg... Een lichter recht vooruit... We lopen op een plezierboot in...' Het waren geen kritieke situaties. Jan hoefde nauwelijks maatregelen te nemen. Het kleine spul maakte zelf wel dat het wegkwam als het de hoge boeg van de Alcarez zag opdoemen uit de dwarrelende sneeuw. En Carlos, de uitkijk, raakte hierbij niet uit zijn evenwicht.

Maar toen de sneeuwbui op z'n dichtst was en de noordelijke fabrieken, het Centraal Station en alles wat aan de De Ruyterkade lag daarin verdwenen waren, klonk er uit de telefoon een gil. 'Een boot... een grote... hij ramt ons... o!'

'Waar zie je 'm?' vroeg Jan Loots scherp, want hij zag van de brug af niets.

'Hij ramt ons... o... o...!' jammerde Carlos door.

'Wáár zie je 'm? donderde Jan, terwijl hij tevergeefs probeerde de muur van dwarrelende vlokken met zijn ogen te doorboren.

'Twee streken stuurboord... o... o... Wij worden overvaren... De stem door de telefoon brak af. Waarschijnlijk was de uitkijk van zijn post gevlucht.

Het kon Jan op dat ogenblik niets schelen. De bange haas had in ieder geval de positie opgegeven. Hij kreeg, in de aangegeven richting turend, de tegenligger in de gaten: een hoge boeg, aanlopend op hun voorschip.

Stoppen gaf niets, zag Jan onmiddellijk. Daarmee kon hij het andere schip niet ontlopen. Scherp afdraaien was de enige manoeuvre die misschien een botsing kon voorkomen of tenminste verzachten. Het risico dat er tijdens de zwaai wat anders in de weg zou komen, moest genomen worden.

Het was een voordeel dat de Alcarez twee schroeven had. Op zijn bevel: 'Hard bakboord!' liet niet alleen de roerganger het stuurrad tollen, maar seinde de bakboordstelegraaf tegelijk naar de machinekamer: volle kracht achteruit en de stuurboordstelegraaf: volle kracht vooruit, terwijl de stoomfluit het sein gaf: ik wijk bakboord uit.

De boeg boog erg scherp af. Jan wachtte in grote spanning wat het andere schip zou doen. Het kwam nog steeds dichterbij, nu op de midscheeps. Als het hun in de flank liep...? Daar gaf de tegenligger het sein: ik wijk stuurboord uit! Jan hoorde het als muziek. De schepen schuurden langs elkaar van kop naar staart. Ze gedroegen zich als honden die elkaar wel bedreigen maar niet bijten. Er kwam geen botsing!

Maar ook al ontliepen de beide grote schepen elkaar, ze raakten wel dwars in het vaarwater en dat op het drukste punt van het IJ.

Temidden van het gieren van de wind, het kletteren van de hagel en het gedreun van de machines klonk het tumult van hoge en lage fluiten en sirenes, afkomstig van allerlei kleine schepen, die een goed heenkomen zochten voor de beide draaiende reuzen.

Carlos, terug op zijn post bij de boeg, nadat hij eerst in doodsangst was gevlucht, riep door de telefoon de ene noodkreet na de andere. 'Een sleep vooruit... twee zolderschuiten over stuurboord... Een kustvaarder aan bakboord... Een binnenboot vooruit...' Ze ontliepen alle hindernissen.

Maar toen schreeuwde Carlos: 'Schip houdt recht op ons aan.'

Jan Loots zag vaag door de dwarrelende sneeuw een stoomboot die hij, net als de uitkijk, voor een tegenligger hield. Hij wilde er aan stuurboord langs gaan. Op het laatste ogenblik ontdekte hij dat het een pont was die voor hem wilde overvaren. Hij liet onmiddellijk achteruitslaan maar de Alcarez zette door en Jan zag dat er veel mensen op de pont waren.

Het ging op het nippertje goed. Ze liepen vrij. 'Langzaam vooruit!' gaf Jan bevel, terwijl hij zich het zweet van het voorhoofd veegde en tegelijk rilde bij de gedachte aan wat er gebeurd zou zijn, als hij een seconde later zijn bevel gegeven had...

'Schip over bakboordsboeg!' schreeuwde de uitkijk.

Het ene volgde op het andere met de snelheid van een film.

Deze keer was het een rank heen-en-weertje, overbelast met passagiers; het liep onder zijn boeg door!

Een snelle manoeuvre voorkwam dit gevaar. Maar het was geen

varen in deze dichte sneeuwstorm met zo'n groot schip op het drukke IJ.

Nu hij er een keer zat, moest hij er wel door. Ankeren of meren ging niet op dit drukste punt.

Al scharrelend kwamen ze eindelijk in het oostelijke havengebied, waar wat meer ruimte was. Hier wilde Jan voor anker gaan om op beter weer te wachten. Maar voordat het anker viel werd het sneeuwen minder en al snel was het weer helder, hoewel de wind nog vlageriger waaide. Toen Jan voorzichtig aanhield op de Levantkade, waar ze zouden meren, en een matroos klaar stond een lijn naar de wal te slingeren, kreeg een felle windstoot vat op het voorschip en drukte dat met kracht naar de kade. Er dreigde een harde botsing, die vast brokken zou maken. De Spaanse kapitein had zijn romannetje, waarin hij uren had gelezen, uit. Met Jan z'n navigatie had hij zich niet meer bemoeid en hij deed het nog niet. Maar hij stond naast hem toen de boot op de kade vloog en er was een trots lachje om zijn mond.

Dat zat Jan Loots dwars. Hij had z'n best gedaan en tot zover was er niets ergs gebeurd, hoewel op deze reis de narigheden hem leken te achtervolgen. Na zoveel spannende gebeurtenissen was hij moe. Hij zweette, zijn wangen waren rood en z'n handen beefden.

Hij liet hard afhouden en opstomen, waardoor de botsing met de wal voorkomen werd. Maar ze schoven de aanlegplaats voorbij. Het kostte een halfuur van modderen en wringen voordat ze vast lagen, en intussen stond de Spaanse kapitein maar steeds naast hem, zwijgend, maar met een superieur en spottend lachje onder zijn zwarte snor.

Na het meren verklaarde de Spanjaard dat hij hem zeer erkentelijk was voor zijn goede en vooral vlotte diensten. Hij sprak correct in heel hoffelijke termen, maar Jan Loots proefde er sarcasme in en hij ergerde zich erg aan de trotse Spanjaard. Die was zelfverzekerd nu zijn schip veilig aan de kade lag, terwijl hij daarnet, toen het even kneep, de kluts kwijt was geweest.

Op de terugreis naar IJmuiden, in de trein, ging Jan languit op een bank liggen. Hij was doodmoe. Hij sliep totdat de conducteur hem wakker maakte. 'We zijn bij Velsen, loods. U moet overstappen.'

Jan geeuwde en rekte zich uit. Toen de trein stopte, sprong hij behendig op het perron. Een uurtje slapen op een harde bank had hem weer opgeknapt. Hij liep naar de afhaler, die hem weer op de loodsboot bracht. Na een uur stond hij weer op een binnenkomend schip om dat naar Amsterdam te brengen. Wat die Spanjool betreft, die vent mocht barsten in zijn trots.

13 IN EEN SNEEUWBUI

De Limburgia, een van de grote schepen van de Koninklijke
Hollandse Lloyd, lag bij de uiterton voor anker. Het schip
had daar al een dag gelegen, omdat de kapitein niet het risico
nam om binnen te lopen bij de harde storm met felle uitschieters
die er stond. Hij had meer dan duizend passagiers aan boord.

Op de kaden van IJmuiden liepen mensen die je daar anders zelden zag, zeker niet in de winter: dikbuikige heren en zwaar
geparfumeerde dames. Nog al wat spraken Duits, anderen
Spaans. Ze waren gekomen om vrienden en familie af te halen
van de mailboot uit Zuid-Amerika, die vanmorgen binnen zou
komen, maar de Limburgia kwam niet binnen. De parfum waaide
weg op de zuidwester, maar de stemming van de vreemdelingen
daalde met het uur. Ze vonden het onbehoorlijk dat men hen liet
wachten en mopperden op de kapitein van de Limburgia, dat die
niets aandurfde. Watblief, kleine vissersscheepjes, die over de
golven duikelden, voeren wel uit en in. Waarom zou zo'n groot
schip het dan niet kunnen? Die kapitein had een hazenhart.

Jan Loots wandelde de kade op en neer, wachtend op de afhaalboot die hem op de loodsboot zou brengen. Hij hoorde de mensen mopperen en schelden; in zijn baardje lachte hij minachtend
om hun leuterpraat. Kapitein Barends had gelijk dat hij beter
weer afwachtte. Zijn grote schip met hoge opbouw zou heel
moeilijk manoeuvreerbaar zijn, nu hij dwarszees de pieren binnen moest lopen. Als er dan een van die uitschieters kwam, die
ieder ogenblik uit buien gierden, had je het schip niet meer in de
macht. Een zwaar geladen vrachtboot kon het riskeren, zo'n
groot passagiersschip niet.

Een hagelbuitje joeg wat witte korrels over de kade. De dames
slaakten gilletjes om een paar steentjes op hun rozerood geverfde

wangen. De heren met de dikke buiken liepen zich achter adem naar het dichtstbijzijnde café. Daar, achter dikke spiegelruiten en bij een warme kachel, konden ze doorgaan met hun kritiek op een kapitein die bang was voor een beetje wind.

Het afhaalbootje meerde in de bui aan het kleine steigertje, Jan Loots en drie collega's stapten op. Tussen de pieren wachtte de loodsboot, die, nadat hij hen had opgenomen, meteen weer naar buiten voer.

Er kwamen een paar vrachtboten van de zuid en een schoener van de noord. Ze vroegen om een loods, die hen vlot de pieren binnenstuurde. Het weer leek iets beter te worden; het glas vertoonde ook neiging om te stijgen. Het plankje van Jan Loots stond nu onderaan in het vakje van beurt.

Toen ging op de reus van de Koninklijke Lloyd de loodsvlag in de mast, terwijl het anker werd gelicht. Hij wilde naar binnen en het was Jan z'n beurt. In de loodsjol danste hij erheen en langs een erg lange ladder klom hij naar het hoge dek.

'Zou het te doen zijn, loods?' vroeg de kapitein, toen hij het ruime stuurhuis binnenstapte.

'Dat is aan u om te beslissen, kapitein,' hield Jan zich op de vlakte. 'De loodsdienst is niet gestaakt.'

'Ik had liever nog een poosje gewacht, maar de passagiers zeuren me zo om de kop. En 't buit wat af. Alla... vooruit maar.'

Jan gaf bevelen. Hij hield het schip angstvallig op de havenas: twee havenlichten in elkaar. Zo voeren ze precies op het midden van de havenmond aan. Binnen de pieren zouden ze nog wat ruimte om te manoeuvreren houden, al was de uitwijkmogelijkheid er, voor zo'n groot schip, klein.

Toen ze voor de hoofden waren, kwam er een tegenligger uit de sluis. Jan wachtte het buiten af. Om het schip gaande te houden liet hij een kleine slinger maken om de noord. Toen het andere schip in zee was, stuurde hij met een boog naar binnen.

Op dat moment brak er een bui los, onverwacht en op een ongelegen moment. Er kwam een vlaag wind uit met felle uitschieters.

Er kletterde plotseling ook een dichte regen. Ze werden door de stoten uit hun koers gedrukt, maar Jan wist niet hoeveel. De zware regen werkte als een dik gordijn.

Geen zicht! En ze zaten tussen de basalten pieren, waarop de golven stormliepen. De geul was smal voor dit schip, dat diep stak, nog smaller dan voor kleinere boten. Ze zouden heel gauw op de voet van een van de pieren zitten.

Puur op de gok gaf Jan een koers; hij wist niet of het goed of fout was. Tegelijk liet hij vaart meerderen. Dit was hoog spel. Best mogelijk dat hij het schip recht op de ondergang aanjoeg. Maar als hij het niet deed, vervielen ze aan lager wal en waren ze zeker verloren.

Jan voelde een koude rilling langs zijn rug gaan. Het hield hem danig bezig dat hij op dat kritieke ogenblik het lot van vijftienhonderd mensen, duizend passagiers en vijfhonderd bemanningsleden, in zijn handen had.

Op trillende benen stond hij aan de telegraaf. Het koude koper van de beugels koelde een ogenblik zijn hete handen. Zijn ogen probeerden door de regen heen te boren, maar konden het niet. Hij moest helemaal op de uitkijk op de bak vertrouwen. Wanneer die seinde, moest hij daarop reageren.

De hand van de matroos schoot hoog boven zijn hoofd uit.

Stop! Op hetzelfde ogenblik wierp Jan de telegraaf op achteruit. Hij had niet sneller kunnen reageren, maar het kostte enkele seconden voor de schroeven achteruitsloegen.

Er dreunde een zware schok van voor tot achter door het schip. Tegelijk kreeg Jan pijn in z'n maag. 't Was of hij aan z'n lichaam voelde, hoe door de botsing met de basalten pier de boegplaten werden gekneusd en gescheurd. Wie weet wat voor een groot gat er in de piek gaapte.

Hij liet achteruitslaan.

De schroeven sloegen wild. Schuim woelde langs de flanken van het schip. Jan voelde dat de pier zijn prooi losliet. Alsof iemand van een trap gesleurd werd, zo bonkte de boeg langs de basalten dam. Maar had de pier zijn prooi, voordat hij hem los moest laten, niet dodelijk gewond? Stroomde het water niet naar binnen zodat het schip zou zinken in de haven?

'Wilt u laten nagaan of we water maken, kapitein?' vroeg Jan.

De kapitein stuurde een matroos naar onderen.

De passagiers kwamen, geschrokken door de schok, bleek en overstuur aan dek, waar de hagel hen in het gezicht sloeg en de storm hun de adem afsneed. Vrouwen jammerden en huilden, mannen schreeuwden.

'Ook dat nog,' zuchtte de kapitein. Hij droeg de derde stuurman op de reizigers benedendeks te brengen en hen te kalmeren.

Jan stond bij de telegraaf, de beugels in de hand, stipt de seconden tellend. Als ze achteruitvarend op de andere pier liepen, zou het ongeluk nog erger zijn. Het achterschip in de wal: het zou 'n kapot roer en gebroken schroeven geven.

'Bakboord je roer... Opkomen... Midscheeps...,' beval Jan snel na elkaar. Meteen gooide hij de telegraaf van achteruit op vooruit voor de beide schroeven.

Het ogenblik van stilliggen was kritiek. Het schip was overgeleverd aan wind en stroom. Toen de boot weer gang had, liet Jan oostzuidoost sturen. Hij nam aan dat hij op de havenas was, maar het was een gok. Regen en hagel vormden nog steeds een dichte sluier. Hij wist niet hoe ver hij uit de wal was en hij wist niet hoe dicht hij op het forteiland zat. Hij wist nog minder wat er vóór hem voer. Hij stond weer met de beide handen op de beugels van de telegraaf, geen oog van de uitkijk af.

'We maken water bij de boeg, kapitein,' berichtte de man die naar beneden was gestuurd. 'De piek loopt vol.'

'Waterdichte schotten sluiten,' beval de kapitein.

Jan Loots stond met de tanden op elkaar geklemd. Dus wel een lek. 't Was te verwachten na die schok. En ieder ogenblik konden ze weer zo'n botsing krijgen. Ze voeren blind. En het lot van vijftienhonderd mensen lag in zijn handen. Hij maakte zich er zorgen over en hij was doodmoe.

'De barometer gaat omhoog,' zei een stem achter hem.

Het klonk Jan als spot in de oren. Wat gaf het of de barometer steeg en het stráks beter weer zou worden? Ze zaten in de bui tussen de pieren en hij zag niets.

...Hij zal Zijn engelen van u bevelen, dat zij u bewaren op al uw wegen. Zij zullen u op de handen dragen, opdat gij uw voet aan geen steen stoot...

Waar die woorden vandaan kwamen, wist hij niet. Hij zou niet kunnen zeggen waar ze stonden. Maar ze speelden steeds door zijn hoofd. ...Hij zal zijn engelen bevelen...

Daar schoot de hand van de uitkijk weer omhoog. Jan rukte de beugels van de telegraaf op achteruit. Ze stootten wel op stenen, ondanks de engelen.

De schroeven sloegen achteruit. Het schuim welde wit langs het schip. Het deinsde net op tijd!

Jan wist nu helemaal niet meer waar ze zaten. De uitkijk kon het ook niet zeggen. Hij had alleen basalt gezien en toen gewaarschuwd.

Jan voer helemaal blind. En vijftienhonderd mensenlevens lagen in zijn handen.

...In de benauwdheid zal Ik bij hem zijn; Ik zal hem er uittrekken, en zal hem verheerlijken...

Nu wist Jan dat het een psalm was, die hij had gelezen, toen hij in bed lag met zijn been. Jane had hem daarmee getroost.

'Twee streken stuurboord,' zei hij tegen de man aan het roer. 'Midscheeps... Koers.' Hij gaf de orders allemaal op goed geluk en met een bevend hart.

De stortbui hield even plotseling op als hij begonnen was. Er was opeens weer zicht.

Over stuurboordsboeg zag Jan het forteiland, aan beide kanten waren de pieren even dichtbij. Ze voeren op de havenas, de beide vuurtorens lagen in één lijn.

'Dat heb je knap gedaan, loods!' prees de kapitein.

Jan schudde het hoofd. 'Niet ik, kapitein.'

'Een beetje stuurboord, roerganger,' beval hij. Hij leidde het schip om het forteiland heen in het toeleidingskanaal tot de middensluis. De deuren draaiden open. De Limburgia gleed in de kolk en werd gemeerd.

De zon scheen. Van de bui was alleen in het noordoosten nog een loden muur te zien. De wind was gaan liggen.

De passagiers verdrongen zich langs de verschansing. De afhalers, uit hun schuilplaatsen opgedoken, stonden weer op de wal. Het was een gekwetter vanjewelste. Die gehuild hadden, lachten nu, behalve een geparfumeerde dame die pruilde omdat haar kapsel door de bui bedorven was.

De Limburgia was geschut. De binnendeuren van de sluis draaiden open. Jan Loots verzette de beugel van de telegraaf. Er klonk een bel. Het schip gleed langzaam uit de sluis in het kanaal.

14 DRONKEN VOLK

T egen elf uur 's avonds bracht het afhaalbootje Jan Loots op de Aldebaran. Zijn bordje stond op twee na onderaan in het vak van beurt, zag hij in het stuurhuis. Hij vroeg de schipper of er schepen verwacht werden in de eerste uren. 'Niet een,' antwoordde die. 'Wel een heel aantal morgenochtend.' Dus zouden het alleen onaangediende gasten zijn die zijn slaap konden storen. Jan was er blij om, want hij was moe, nadat hij een volle week bijna steeds in touw was geweest. Hij had alleen af en toe een hazenslaapje gehad op de loodsboot, want er was drukke scheepvaart en van de loodsen waren er verscheidene ziek. De griep ging rond.

Voordat hij in z'n kooi kroop, keek hij door een patrijspoort naar buiten. Vlakbij glansde het donkere water in het licht van de eigen vuren van de loodsboot. Over het zwart vloeide af en toe wit schuim. Verderop knipperde het licht van de uiterton telkens aan en uit. Verder was er op zee een diepe duisternis; geen schip op komst. Jan ging naar kooi en viel onmiddellijk in slaap.

Een hand op zijn schouder maakte hem wakker. 'Een schip voor u,' zei een gedempte stem. Het was de leerling van de wacht.

Jan Loots was nog lang niet uitgeslapen. 'Hoe laat is het?' vroeg hij, zich de ogen uitwrijvend.

'Half een,' zei de leerling.

Half een! Na een goed uur slapen moest hij er dus weer uit. Hij geeuwde en zuchtte. De leerling ging weg. Jan had de neiging het hoofd nog even op het kussen te leggen. Maar hij vermande zich en klom over het kooischot. Het ging met moeite; hij was stijf en had rugpijn.

Bij het aantrekken van zijn laarzen steunde hij en z'n slapen klopten. Kwam dit van vermoeidheid, omdat hij te lang gestaan en te weinig geslapen had de laatste dagen? Of kreeg de griep hem ook te pakken, zoals verscheidene van zijn collega's?

Stuntelig beklom hij de smalle trap naar het dek; hij moest zich aan de leuning ophijsen. Maar boven werd hij goed wakker door de zeewind en de zoute spatten van het buiswater dat de Aldebaran opwierp. Die stoomde tegen de wind in de richting van twee vaste lichten: het schip dat hij beloodsen moest.

Jan klom in de jol, waarin al twee matrozen aan de riemen zaten. De takel liet hen zakken; hij greep het roer. In het donker voeren ze naar het bijgedraaide schip. Het was een Panamees.

Wat deed die boot vreemd! Hij had lij gemaakt, maar nu zwenkte hij weer op de wind. De golven liepen hoog langs de scheepswand, waar de ladder uithing. Jan liet de jol afhouden in de verwachting dat de boot weer bijdraaien zou, maar dit gebeurde niet. En de lui waren ook niet zo fatsoenlijk hem bij te lichten. Toen redde hij zichzelf maar. Hij liet oproeien, schoot aan, stapte op de ladder op het ogenblik dat de jol van een golftop naar beneden zou gaan glijden, en klom naar boven, mopperend. Hij zou de kerels, die hem zo onbehoorlijk ontvingen, op hun nummer zetten.

Met moeite stapte hij over de reling op het dek, het was een hele klim geweest en hij was stijf, en kreeg toen een familiaire schouderslag. 'Ha, die loods! Ben je daar, ouwe jongen?' Het was een matroos.

Jan fronste de wenkbrauwen en draaide zich om. Die vent was hem te vrij.

Maar de ander bleef vrolijk en kameraadschappelijk. 'Ga je mee naar de mess, Hollander? We gunnen je een goeie dronk.'

'Dank je,' wees Jan af en liep door om naar de brug te gaan.

De matroos gaf het niet op. 'Kom mee, loods. Een lekker slokje. 't Is niet voor de ganzen gebrouwen, loodsje.'

De vent heeft te veel op, begreep Jan. Hij liet hem staan.

Hij kwam langs de mess. Door de open deur zag hij een heel stel varensgasten met het glas in de hand of aan de mond. De tafel stond vol flessen. Een van de tafelridders kreeg hem in het voorbijgaan in de gaten. 'Ha, loodsje, kom es hier! Een glaasje voor jou.'

Jan liep door.

'Eén glaasje, loods!' riep de man hem achterna. 'Dat doet je goed.' Jan liet hem schreeuwen. Als hij een schip moest loodsen, dronk hij nooit, en zeker nu niet. Ze waren hem te lollig.

Hij kwam op de brug.

'G...ge...goeienavond, l.l...loods,' werd hij begroet met dubbelslaande tong. 'G...g...ga jij ons n...n...nu eens netjes b...b...binnenbrengen? D...d...daar doe je goed aan.'

Jan kreeg een onbehaaglijk gevoel. Dat er een stel matrozen dronken was, vooruit. Maar als ze in het stuurhuis ook al tipsy waren...! Dit kon je alleen op een Panamees schip overkomen. Daar voer het uitschot van de zeelui op!

'Koers west,' gaf hij de roerganger op.

'K...k...koers w...w...west. J...j...jawel, loods. 't K...k...komt in orde, l...l...loods,' wauwelde de man aan het stuurwiel.

Jan beet op zijn lippen. Een dronken roerganger. Hoe zou hij het schip ooit veilig binnen krijgen!

Ze bleven op de oude koers.

'Koers west!' herhaalde Jan op scherpe toon.

''t K...k...komt in orde,' hakkelde de matroos. 'Je m...m...moet niet zo snel kw...w...waad worden, l...l...loods.'

't Kwam niet in orde. Het schip hield zijn oude koers.

'Haal de kapitein,' zei Jan tegen een stuurman, die als een zoutzak tegen de wand van het stuurhuis hing.

'H...h...hier is de k...k...kapitein,' kwam een stem uit het donker, achter uit het stuurhuis. 'D...d...die ben ik, l...l...loods.'

Toen schrok Jan. Als zelfs de kapitein dronken was! En blijkbaar was de hele bemanning beschonken. Dit moest op ongelukken uitlopen.

'We hebben een b...b...beste reis ge...ge...gehad, l...l...loods,' stotterde de kapitein. 'Een b...b...beste reis. G...g...gister een f...fr...franse b...b...bark op zee gev...v...onden. G...g...geen m...m...mens aan boord. En ie z...z...zat vol met w...w...wijn, lekkere w...wijn. W...w...wil je ook een gl...glaasje, loods?'

'Dank u,' zei Jan bits.

'Of een h...h...hele f...fl...fles vol, loods?'

'Nee,' zei Jan kortaf. Hij verspilde geen woord meer aan de zatte kapitein, maar greep het stuurrad en bracht het schip zelf op de koers, die hij had aangegeven, omdat de roerganger het blijkbaar niet kon. 'En nu houd je het zo!' gebood hij hem.

'J...j...jawel, loods, 't k...k...komt dik in orde,' hakkelde de jongen. Jan gromde. Hij was er lang niet zeker van dat het in orde zou komen.

Hij zette de hendel van de machinetelegraaf op halve kracht. Er klonk een bel als teken dat het sein beneden had gewerkt. Maar de schroeven reageerden niet. Toen floot Jan door de spreekbuis en maakte de machinist een standje.

Er kwam een hakkelend en onsamenhangend antwoord.

Jan voelde zich door de grond gaan. Ook de wacht in de machinekamer dronken! Hij stond alleen met zatte mensen. Dit werd een ramp!

'Anker uit!' gaf hij bevel. In ankeren zag hij het enige middel om aan een ramp te ontkomen.

Maar het anker ging niet uit. Er ging zelfs niemand naar de bak. Ze waren allemaal dronken.

Jan nam zelf het roer. Toen de dronken matroos het wiel niet wilde afstaan, schold hij hem weg. Hij bracht het schip op tegenkoers. In volle zee was het veiliger dan zo dicht bij de pieren en de banken.

Nauwelijks had hij het schip om, of de traag werkende machine scheidde er mee uit.

Hij seinde met de telegraaf, schold door de spreekbuis, het gaf allemaal niets. Hij kreeg niet eens antwoord. De stokers waren naar de mess gelopen, waar ze allemaal aan het zuipen waren.

Nu dreef het schip waarheen de stroom het stuwde. Met het roer kon Jan daar nauwelijks iets aan af of toe doen.

Ze zaten noordelijk van de pieren van IJmuiden. 't Was eb. Die zette hen naar het zuiden. Jan kon voorkomen dat ze op de hoofden sloegen, maar het schip gleed voorbij de pieren naar de banken voor het Bloemendaalse strand en Jan kon er niets aan doen.

Er kwamen toplichten dichterbij. Het was de Aldebaran, zag Jan aan de vuren. Ze kwamen kijken, wat er aan de hand was. Natuurlijk! De wacht op de loodsboot moest wel stomverbaasd zijn over de capriolen van het schip waar Jan op gezet was.

De seinlamp van de Aldebaran knipperde. 'Hulp nodig?' las Jan uit de morsetekens.

Zeker had hij hulp nodig. Hij vroeg waar de seinlamp was, maar hij kreeg van niemand in het stuurhuis antwoord. De kapitein lag languit op de vloer te ronken. De stuurman hing nog altijd als een zoutzak over de kast van de chronometer en de roerganger lag in een hoek voor pampus. Toen Jan de kapitein aan de arm schudde, hielp dat niets. De roerganger werd na een trap wel wakker, maar sloeg wartaal uit.

Intussen sleepte de stroom het schip steeds dichter naar de banken.

De Aldebaran zwenkte af. 'Ik vraag sleepboothulp,' knipperde zijn seinlamp. Als die maar op tijd kon komen!

Het schip met het zatte volk verlijerde langzaam naar het zuiden, maar het bleef vrij van de banken. Toen de eb was uitgewerkt dreven ze een paar mijl uit de kust ter hoogte van Zandvoort.

Tijdens de kentering kon Jan met het roer niets doen. Dus liet hij het los en ging de seinlamp zoeken. Tenslotte vond hij hem. Hij knipperde ermee. Maar het licht van de handlamp was niet sterk en er waren geen schepen in de buurt. De loodsboot was achter de pieren verdwenen. Hij richtte de lamp op de semafoor van de kustwacht, maar kreeg geen antwoord. Zijn licht was te zwak.

Jan daalde af naar de machinekamer. Een paar mannen in blauwe overal lagen languit op de ijzeren roosters. Hij schudde ze om hen wakker te maken en ze keken even op met lodderige ogen, maar meteen ronkten ze weer verder. Ze waren veel te zat om op te staan, laat staan om de machine te bedienen.

Daarna ging hij naar de mess. Daar lagen er meer onder de tafel dan er nog op de banken zaten. Toen hij hard op wilde treden en bevelen gaf, trok een kerel die een kwade dronk had zijn mes en wilde hem aanvallen. Een paar anderen haalden op het voorbeeld van de schurk het mes ook uit de schede. Jan moest zien dat hij weg kwam. De bekkensnijders grinnikten en zwetsten achter hem.

Hij ging weer naar de brug, wanhopig. Als hij een stel gekken om zich heen had, zou het niet erger kunnen zijn.

Er liep een licht de haven van IJmuiden uit. Het zwenkte in deze richting. Dat moest een sleepboot zijn, die assistentie kwam verlenen!

Jan liet zijn seinlamp flikkeren. De sleepboot gaf onmiddellijk antwoord.

Hij vroeg om hulp en voegde eraan toe dat op zijn schip geen man beschikbaar was om bij de berging te assisteren.

Intussen dreef de opkomende vloed het schip snel naar de kust. De branding bruiste heel dichtbij.

Een zware schok deed het schip sidderen. Het kwam meteen weer vrij, maar even later volgde een tweede schok en nu kwam het in de branding.

Als de bemanning capabel was geweest, zou er nog geen nood zijn. De sleepboot zou een lijn kunnen overschieten en de tros kon worden ingehaald. Maar er was geen bemanning. Er was alleen een stel zatlappen aan boord, die geen van allen een voet konden verzetten. Jan stond er helemaal alleen voor. Als hij een lijn zou proberen op te vangen, zou hij het roer los moeten laten, waarmee hij nu het vastlopen nog wat vertragen kon. En trouwens, hij kon nooit alleen een sleeptros inhalen.

Maar het Nederlandse sleepbootvolk had immers wel verlaten schepen, half zinkend vaak, in wilde stormen opgepikt. Jan seinde: 'Breng zelf de lijn; loodsladder hangt uit.'

De sleepboot begreep het. Zelf afstand houdend, omdat de banken hem evengoed bedreigden als de Panamees, stuurde hij een jol. Maar het was te laat om een stranding te voorkomen.

Het schip kreeg zware stoten, schuurde over het zand, kwam nog eens vrij, kreeg weer een harde stoot en bleef daarna vast zitten, midden in de branding.

De jol was dichtbij, maar om de gestrande boot te bereiken moest hij de felle branding in. Dat was gevaarlijk, maar de roeiers zetten door.

De jol tolde in de branding. Hij stond soms bijna op de kop. In deze wilde draaikolk konden de roeiers niets meer doen, maar de man aan het roer hield vol. Jan stond bij de loodsladder en keek van boven af in spanning toe.

De jol schoot aan. Een van de roeiers stak een pikhaak naar de ladder uit. Hij had 'm, zag Jan.

Er kwam een hoog oplopende grondzee aanstormen, die vlak voor de jol krulde en brak. De kleine boot verdween in het witte schuim. Door het gerommel van de branding heen hoorde Jan een geluid dat hem deed verstijven. Krakend hout! Dat moest de jol zijn, die tegen de ijzeren scheepswand werd versplinterd.

Jan zag de brokken van de boot; ze dreven naar het strand. De redders waren omgekomen voor de dronken bende.

Maar kijk! Er dook een hoofd op uit het schuim. Een man beklom de ladder, en nog een, en nog een! De mannen uit de jol klommen alle drie aan boord. Hun boot was weg, maar zij waren gered. En ze brachten de lijn! De voorste had hem om z'n middel.

Jan ging met hen mee naar de bak. Terwijl de bergers lijn na lijn inhaalden, de volgende steeds dikker dan de vorige, slaagde hij erin stoom op de winch te krijgen. Daarna haalden ze de zware manillakabel in, waaraan de sleepboot trekken zou.

Intussen was het dag geworden.

De kapitein kwam op de bak. Hij was wel zo nuchter dat hij besefte dat zijn schip in een moeilijke positie verkeerde. Huilerig vroeg hij of er kans was om weer vlot te komen.

Jan gaf geen antwoord; hij had het te druk om z'n tijd te verspillen aan een dronken kerel.

Er kwamen meer zatlappen op de been. Ze wilden nu wel aanpakken, maar de mannen van de bergingsboot waren niet van hun hulp gediend. Ze zetten de tros vast en de sleepboot begon te trekken. Het was tevergeefs. De Panamees zat muurvast op de bank.

Toen brachten de bergers de beide voorankers uit, een eind vóór het schip, en zetten de kettingen snaarstijf. Daar lieten ze het voorlopig bij. De sleepboot bleef werkeloos liggen.

De kapitein van de Panamees, nu ongeveer nuchter, klaagde steen en been over de Nederlanders die niets deden.

'Wou u soms dat wij weggaan?' vroeg de bergingsinspecteur hem koeltjes.

'Nee,' zei hij haastig, 'maar...'

'Laat ons dan alsjeblieft onze gang gaan en bemoeit u er zich niet mee...'

De kapitein liep met een rood hoofd weg.

Intussen lichtte de vloed het schip. De uitgezette ankers voorkwamen dat het hoger op de bank gezet werd. Toen het bijna hoogwater was, overlegde Jan met de bergers over het goede ogenblik om het vlot te slepen.

'Wat wil je?' vroeg de inspecteur hem. 'Zullen wij een bemanning aan boord zetten, of wil je het met dit zatte volk proberen?'

Jan wist dat een beslissing buiten zijn bevoegdheid lag. Een loods was nooit meer dan adviseur van de kapitein. Die had de verantwoordelijkheid en de kapitein was nu wel zover bekomen van zijn roes dat hij beslissen kon. Jan ging naar hem toe en vroeg hem wat hij wilde. Hij liet het aan Jan over.

Toen ging Jan naar het volkslogies. Een deel van de bemanning lag nog te ronken, maar er waren er ook die nuchter waren. Hij keek bij de stokers. 't Was daar een bende, maar de meesten zouden wel kunnen werken, dacht hij. Toen ging hij naar de bergingsman terug. 'Tornen jullie maar, wij redden het hier.'

Een uur later kwam er dikke rook uit de schoorsteen van de Panamees. Er kwam een seintje van de sleper. 'Wij gaan tomen. Helpen jullie mee?'

Jan zette de hendel van de telegraaf op volle kracht en nu reageerde de machinekamer prompt. Ook achter de sleepboot woelde het kielwater.

Er kwam beweging in de boot. Hij deinde op en neer. Maar heel snel was het weer over. De boot zat weer muurvast en het trekken hielp geen biet. De beweging was bedrieglijk geweest. Kop en kont waren vrij – vandaar de deining – maar de midscheeps zat op een brede bank muurvast. De kapitein zat in de rats. Als zijn schip bij deze vloed niet loskwam, zou het de vraag zijn of het ooit lukte. En de Raad voor de Scheepvaart zou niet mals zijn in zijn vonnis, als hij overwoog waar de stranding aan te wijten was.

Toen de vloed bijna op z'n hoogst was, verschoof het schip een stukje. Er ging een kreet op onder de bemanning, maar het was te vroeg. Na een ogenblik zat de boot weer muurvast en woelden de schroeven van sleep- en vrachtboot tevergeefs met groot geweld. Na een poosje kwam er toch weer een schokje in de goede richting en daarna nog een en nog een. Jan kreeg moed.

Toen raakten ze in de achterhand. In plaats van de midscheeps rustte nu het hek van de Panamees op de bank, en deze tilde het achterschip zo ver uit het water, dat de bladen van de schroef hoog boven de spiegel wild in de lucht ronddraaiden zonder te stuwen. De Panamees deed niet meer mee en de sleepboot alleen ontwikkelde niet genoeg kracht.

De boot zat vast en het getij verliep. De poging was mislukt. Jan nam het rustig op: als het vandaag niet lukte, dan morgen wel. Intussen ging hij naar huis. Een loods had geen taak op een gestrand schip. 'Laat even naar de Aldebaran seinen dat ze mij halen, kapitein. Good luck!' De Panamese kapitein smeekte hem of hij aan boord wilde blijven. Zodra zijn schip vlot kwam had hij hem weer nodig.

Om de zuid kwam een sleep aan; een baggermolen met een zee-sleepboot ervoor. Langzaam kwam de sleep dichterbij.

Opeens kwam er schot in de sleepboot, terwijl de baggermolen bleef liggen. De tug had z'n sleep alleen gelaten om hulp te bieden aan de Panamees. Bergingswerk gaat altijd voor.

De tweede sleepboot ging mee trekken. De zee werd zwart van rook uit drie schoorstenen, want ook het Panamese schip deed nu weer mee, met het ankerspil. De kettingen van de vooruitgezette ankers spanden zich. Witte stoom spoot uit de winch.

Er kwam weer beweging in de Panamees. Duim voor duim schoof hij naar zee. Maar de eb liep; het water zakte. Er was weinig kans meer bij dit tij.

Toen dook de kop van de Panamees omlaag. Het schip gleed van de bank in dieper water. Op het laatste moment was het vrijgekomen.

'Nog verdere assistentie nodig?' vroeg de berger.

De kapitein stelde de vraag aan Jan.

'We kunnen ons nu redden,' antwoordde die.

Toen werd geseind: 'U wordt bedankt.'

Daarop gaf Jan bevelen. 'Koers noord.'

'Koers noord,' herhaalde de man aan het roer en een minuut daarna had hij die koers.

De machinekamer volgde even prompt de orders. Al het volk aan boord was weer klaar voor zijn taak.

Ze stoomden vlot de pieren binnen. Bij het voor en achter voor het meren in de sluis stond iedereen op zijn post. Het was, nu de roes voorbij was, een bemanning waarmee je lezen en schrijven kon.

'Geef me nu een glas cognac,' zei Jan tegen de hofmeester toen het schip vastlag. 'Ik kan niet meer op m'n benen staan.'

De hofmeester vloog. Jan leegde het glas in één lange teug. Het maakte zijn ogen van flets weer helder. Hij bracht het schip door het Noordzeekanaal naar Amsterdam.

Terug in IJmuiden meldde hij zich op het loodskantoor en vroeg of er nog iets te doen was.

'We worden er gek van,' zei de commissaris.

'Dan moet ik dus naar de loodsboot,' stelde Jan vast.

'Nee, naar je vrouw en gauw.'

Jan keek verbaasd.

'Afmars!' beval de commissaris scherp. 'Vierentwintig uur verlof voor slapen.'

Jan strompelde naar huis zoals hij ook van de trein naar het loodskantoor gestrompeld was, want hij was op. Thuis kroop hij in bed en sliep een etmaal aan één stuk. Toen maakte Jane hem wakker; zijn vrije tijd was om. Over een uur moest hij op het afhaalbootje zijn. Hij was er, zoals altijd, goed op tijd. Tussen de pieren stapte hij op de Aldebaran over.

'Geen griep?' vroeg de schipper.

'Griep?'

'Ja, toen je naar die gekke Panamees ging was je niet lekker.'

Jan wist het nauwelijks meer. 'Nee, ik heb geen griep, alleen maar slaap gehad.'

Hij keek naar het bord voor beurt en reis. Zijn plankje stond onderaan in het vakje van de beurt; er waren maar weinig loodsen en veel schepen. Vlak buiten de pieren lag een grote Engelsman te wachten. De jol zette Jan over. Hij klom de ladder op en daarna naar de brug.

'Oost ten zuiden,' gaf hij aan de roerganger op.

15 DE WRAKKE KOF

D e zeilvaart werd steeds minder. Een enkele keer kwam er nog een schip: een schoener uit de Oostzee, een enkele kof uit Groningen en maar zelden nog een volschip. Een Finse reder had er nog een paar. Maar al die zeilers waren oude schepen, armoedig en slecht onderhouden. Ze leken op paarden die als slepersknollen eindigden, nadat ze in hun jonge jaren bij de ruiterij hadden gedraafd. Zeiljámmers waren het. Alleen op een paar schoolschepen: een Duits, een Argentijns en een Portugees, die met kadetten op lange oefenreizen ook Nederland bezochten, leefde nog de glorie van de zeiltijd. Al was het dan een versleten schip, Jan Loots genoot altijd als hij een zeilschip binnen mocht brengen. Ze wisten dat op de Aldebaran.

'Je treft het, Loots,' zei schipper Van Dijk op een zomermorgen, terwijl hij met de kijker voor de ogen de zee afzocht. 'Daar komt een zeiler aan en 't is jouw beurt.'

Jan Loots keek ook door een verrekijker. Door het glas werd een vaag vlekje aan de horizon een grijze driehoek. Een kof, herkende hij. Hij had er zin in die te loodsen, niet alleen omdat het een zeilschip was, maar ook omdat 't vast een Groninger zou zijn. Daar was altijd het gezin aan boord, meestal een roef vol kinderen. Op zo'n warme zomerdag was dat grut natuurlijk aan dek. Hij vond het gezellig onder het werk door wat met de kleintjes te praten en te spelen.

Voordat de kof, langzaam dichterbij komend door de zwakke wind, de loodsboot was genaderd, verscheen er een snel groeiende rookpluim op de kim. Het was een grote passagiersboot, die de kof opliep, inhaalde en vóórkwam. Het kleine zeilertje zeulde erachteraan.

Collega Monsma, die na Loots aan de beurt was, mopperde toen hij zag dat de kof nu voor hem zou zijn. De passagiersboot had hij snel in Amsterdam gebracht, maar hoe lang zou het duren, voordat hij die kof aan de kade had?

'Wil jij mijn beurt en ik de jouwe?' bood Jan Loots aan.

'Jij op die ouwe Groninger en ik de koningin?' vroeg Monsma verrast.

'Jawel!'

Monsma nam het graag aan. 'Jij liever dan ik op die drijvende doodkist,' zei hij, terwijl hij, naar de kof wijzend, in de jol stapte, die hem naar de mailboot roeide.

Een kwartier later was Loots op de kof. Het schip zag er armoedig, maar niet slordig uit. Het dek was goed gezwabberd, het touwwerk keurig opgeschoten. Maar het was een oud schip; huid en zeilen waren al vaak opgelapt.

Natuurlijk was het gezin aan boord, een groot gezin. Bij de eerste blik telde Jan al zeven kinderen, die op het dek krioelden. De jongen die de loodsladder binnenhaalde zodra hij aan boord geklommen was, was vast de oudste. De knaap die het roer hield, moest daarop volgen. Verder waren het kleintjes; de jongste, een baby, lag in een open kist te kraaien. De schippersvrouw, verweerd en met een bruin gezicht, bracht meteen een kop koffie voor de loods.

Terwijl hij dronk, nam hij de helmstok van de jongen over. Op een klein schip als dit was zelden of nooit een roerganger. De man die navigeerde stuurde ook.

Het trof Loots, nog meer nu hij stuurde dan toen hij aan kwam roeien, hoe slecht de zeilen waren. Veel gelapt en zwaar verweerd.

'Je mocht weleens een nieuwe fok nemen, Salomons,' zei hij tegen de schipper.

'Och ja,' gaf die flauwtjes toe.

'En je grootzeil is ook niet zo best,' ging Loots door.

De schipper haalde de schouders op en Loots legde dat uit als een teken van onverschilligheid. 'Ik vind het gevaarlijk varen zo,' zei hij, een beetje geprikkeld.

De schipper schoof zijn rechterduim en -vinger over elkaar.

Het ergerde Jan Loots. De Groningse schippers stonden bekend om hun zuinigheid; men dacht dat het allemaal oppotters waren. 'Je waagt je vrouw en kinderen eraan,' zei hij berispend.

Toen flikkerden opeens de ogen van de schipper. 'Denk je dat dat mij niet aan het hart gaat?' schoot hij uit.

'Waarom koop je dan geen nieuwe zeilen?'

'Ik heb geen rooie duit!' beet de Groninger terug.

Jan schrok van zijn reactie.

'Het doek is gaar,' ging de schipper kalmer door, 'en het grootzeil, al de fokken. En de molm zit in het hout. Bij elke bries houd ik m'n hart vast.'

'Het zal binnenkort wel afgelopen zijn,' vervolgde hij op sombere toon. 'We hebben gauw inspectie. Daar komen we nooit door.'

'Het is toch beter dat je schip wordt afgekeurd dan dat het met man en muis vergaat,' meende Jan Loots.

De schipper haalde weer onverschillig de schouders op. 'Ik weet het niet,' zei hij.

'Wablief?' vroeg Jan geschrokken.

Maar de schipper zei cynisch: 'Nee, ik weet niet wat erger is: verdrinken of verhongeren.'

'Kom, kom,' wilde Jan sussen.

'Niet kom, kom!' viel de schipper bitter uit. 'Het is voor ons verhongeren of verdrinken.' Triest ging hij door: 'Ze willen ons niet meer. Ik heb weken voor de wal gelegen. Nu heb ik dit ladinkje; sintels, waardeloos goed, waar bijna geen vracht voor betaald wordt. Als het afgeleverd is, zal het wel weer weken wachten op wat anders worden. Houd daar maar eens negen kindermonden mee open, laat staan dat je nieuw tuig kunt kopen of je schip kunt laten repareren.'

Jan Loots hield zich stil. Hij wist geen antwoord. De verladers eisten tegenwoordig dat een kapitein op dag en uur precies zei, wanneer hij een vracht ergens zou afleveren. Dat konden stoomboten; zeilschepen, afhankelijk als ze waren van weer en wind, konden het niet. Daarom kregen ze geen vracht. De zeilvaart was ten dode opgeschreven.

Loom zeulde het schip op de afnemende wind door de luie zee. De passagiersboot was allang verdwenen achter de pieren, waarschijnlijk al hoog en breed geschut. De kinderen zaten of lagen op het voordek. Het was zelfs op zee te warm om te spelen; aan wal moest het gloeiend zijn.

'Kijk, vader!' riep de rossige jongen, die daarnet aan het roer gestaan had, terwijl hij met de hand naar achteren wees.

In het noordoosten hing een bui. Natuurlijk, op deze hitte moest wel onweer volgen. Een loden lucht dreef laag boven de zee.

Maar Hielco wees niet naar de wolk. Hij wees naar een zwart voorwerp dat aan de grauwe wolken leek te hangen en erlangs schoof. Het leek een zak, een trechter.

'Een hoos,' zei schipper Salomons. 'Die trekt het water op; hij drijft naar het strand.'

De kinderen kwamen overeind en keken allemaal nieuwsgierig en verbaasd naar het natuurverschijnsel.

Er viel wind uit de bui. De gladde zee schoot plotseling vol sidderende rimpels. De slappe zeilen gingen bol staan; de schoten trokken strak. Het touwwerk kraakte. Jan Loots keek bezorgd naar het tuig.

Dicht bij het strand gekomen, maakte de hoos een zwaai. Hij kwam dichter bij het schip. Je kon duidelijk zien dat hij als een geweldige zuigbuis het water omhoog trok. De jongens vonden het prachtig.

De hoos maakte een nieuwe zwaai en kwam nog dichterbij. De jongens juichten, maar Salomons werd ongerust. Het was een zware hoos en hij kwam recht op hen af.

'De kinderen naar beneden!' riep Jan.

Hij pakte er twee en duwde ze door het deurtje van de roef. Ze vielen het trapje af. De moeder ging met drie naar beneden. Salomons droeg de kist met de baby naar beneden.

Het was geen tel te vroeg. 't Waaide plotseling als een orkaan. Er stortte een vloed van water over het schip. Wat los aan dek lag: een puts, een stokdweil en touw, vloog warrelend de lucht in. Hielco, op het voorschip, hield zich vast aan een bolder, maar kon nauwelijks blijven staan, zo erg zoog de hoos. Hij gaf een rauwe gil. Daarbovenuit klonk een luid gekraak en fel geklapper. Het grootzeil scheurde uit de rand, de flarden klapten met knallen als van geweerschoten tegen mast en giek en vlogen daarna weg, als grauwe reuzenvogels in de zwarte wolk.

De hoos was snel voorbij, maar er kwam een storm achteraan. De kof, die niet meer gesteund werd door de zeilen, rolde over de wilde golven met woest slingerende giek en gaffel, voorbij de pieren van IJmuiden. Ook de fok was losgeslagen en wapperde als een doodsvlag aan het stag.

'Anker uit!' riep Jan Loots, zelf vechtend met een onwillig roer, tegen de schipper.

Salomons en Hielco worstelden over het dek, vol gebroken en uiteengeslagen takelage, naar de plecht. Daar werden ze door zware golven overspoeld. Ze kregen de pal uit het ankerspil en de ketting liep rammelend uit. Het anker greep voordat de ketting uitgelopen was. Toen Salomons wilde stoppen, brak er iets, waardoor de ketting van het spil glipte en door het kluisgat wegschoot. Ze waren het anker kwijt! De kof hobbelde voor storm en stroom recht op de banken af. Jan Loots, aan het roer, kon er niets aan doen.

Ze gingen stakelen. Een zwarte vlag werd in de mast gehesen. Ze goten olie over brokken zeil en staken die in brand. De kustwacht zou hun noodsein wel zien en de reddingsboot zou komen. Maar zou het op tijd zijn? Ze joegen op de banken aan en je hoorde door het gieren van de wind heen al het donderen van de branding.

'Is je boot in orde?' vroeg Jan Loots aan Salomons.

Hij schudde het hoofd. Nog minder dan voor het tuig had hij geld voor de boot gehad. Ze was zo lek als een mandje.

'En zó ga jij met vrouw en kinderen de haven uit!' kon Jan niet nalaten bits te zeggen.

De schipper kreeg een kleur, maar zei cynisch: 'Verdrinken is een zachtere en snellere dood dan verhongeren, loods. Het spijt me alleen dat jij met ons in dit schuitje zit. Zie maar dat je je hachje redt en bekommer je niet om ons.'

'Dwaasheid,' zei Jan Loots grimmig. 'De kinderen en je vrouw gaan voor.'

Maar hij wist niet wat hij moest doen om de vrouw en de kinderen, laat staan het schip, te redden.

'We maken water, vader!' zei Hielco, opduikend uit het vooronder.

'Ook dat nog,' zuchtte Salomons moedeloos.

Jan, die de leiding nam omdat de schipper de moed had laten zakken, zette Hielco en zijn vader aan de pompen en probeerde zelf met het roer het schip in diep water te houden.

Hij keek achterom. Kwam de reddingsboot nog niet? Een korte mast stak op uit de hoge golven vóór de pieren. Dat was de reddingsboot!

Als hij de kof maar vrij van de banken kon houden tot de boot er was! Hij zette zich schrap, zijn voeten op een spant, zijn rug tegen de helmstok; zijn botten kraakten van inspanning. Maar het gaf bitter weinig. Al dichterbij brulde de branding. En de reddingsboot was nog ver weg.

Toen kreeg de kof de eerste stoot. Het oude scheepje sidderde en steunde.

Als Jan alleen aan boord geweest was, zou hij overboord gesprongen zijn, zich vastklemmend aan een stuk hout. Ook Salomons en Hielco zouden zich zo misschien kunnen redden. Maar wat moesten ze met de vrouw en de kinderen die beneden zaten? Jan bedacht dat hij eens graag kapitein op een kof had willen zijn, omdat hij dan met vrouw en kinderen kon varen. Het is maar goed dat onze wensen niet altijd in vervulling gaan, vond hij.

Ze kregen weer een stoot, waardoor de huidplanken bij de boeg kapot geslagen werden. Het water stroomde nu naar binnen. Bij de derde stoot brak het roer af. De helmstok gleed Jan uit de handen.

127

Nu konden de loods en de schipper niets meer doen. Ze waren aan genade of ongenade overgegeven.

Na nog een paar stoten zaten ze vast. Ze konden nu in ieder geval niet zinken. Maar de branding raasde om hen heen en het oude schip kraakte en kreunde in al zijn spanten. Jan Loots keek in de roef. Vrouw Salomons zat met de baby op haar schoot en de andere kinderen om zich heen, klaar om te vluchten. Maar waarheen...?

De kinderen zaten als muisjes zo stil, dicht op elkaar, de gezichtjes wit van angst. Ze keken naar Jan op, bang en toch ook met verwachting. Hij draaide zich om en ging terug naar het dek. Hij kon die om hulp smekende kinderoogjes niet zien. Hij kon immers niet helpen...

De reddingsboot kwam dichterbij: een blauwe bal, balancerend op de hoge toppen van de golven. Daar was de hulp!

Maar de ramp kwam sneller dan de redding.

Een zware grondzee sloeg het wrakke schip aan stukken. De mannen werden van het instortende dek gesleurd, de vrouw en de kinderen uit de uit elkaar geslagen roef. Allemaal verdwenen ze in een baaierd van wit rollend schuim.

Op het ogenblik dat de grondzee het wrak bedekte en brak, had Jan Loots twee kinderen gegrepen. Hij wist niet wie het waren; hij wist zelfs niet of het jongens of meisjes waren. Hij greep de kinderen en tegelijk een dikke plank. Hij zei: 'Houd vast en laat nooit los, *nooit*, hoor je!' en op hetzelfde ogenblik pakte hij de kinderen mét de plank. Ze werden met z'n drieën van het zinkende schip in zee gesleurd en diep weggezogen in de witte branding.

Toen ze even bovenkwamen was een van de kinderen verdwenen. Met nog meer kracht hield Jan het andere vast. Meteen sleurde een nieuwe roller hen met de plank weer onder water.

Deze keer hield de grondzee hen lang onder. Jan kreeg het benauwd; zijn denken werd verward, maar hij hield de plank en het kind krampachtig vast. Eindelijk kon hij zijn hoofd weer even uit het water optillen en ademhalen.

Het was maar voor een ogenblik. De golf waarop hij dreef krulde om, sleurde hem omlaag en overstelpte hem met bruisend schuim. En toen verloor hij het bewustzijn.

Jan voelde een harde stoot in zijn rug. Eerst wist hij niet wat het was, maar toen ontdekte hij het. Hij was op het strand geworpen. En hij had de plank nog en het kind! Hij probeerde te gaan staan, maar hij was verstijfd. Toen hij eindelijk overeind zat, zag hij dat het kind een jongetje was van een jaar of zes. Zijn ogen waren gesloten, de wangen wit, de mond was half open. Hij schudde het kind, maar het reageerde niet. Hij werd duizelig. Hij zag het jongetje nog door een rode schemer en toen werd alles weer zwart. Hij zonk weg in een diepe put.

Bijkomend voelde hij een schommelende beweging. Was hij op zee? Maar dit was anders dan het schommelen van een schip. Waar was het kind? Hij tastte om zich heen. Dekens. En het was donker. Alleen door een kier zag hij een beetje licht. Toen werd alles weer vaag, hij kon niet meer denken.

Het schommelen hield op. Hij voelde een lichte schok. Er ging een motor grommen. Zijn ogen openend merkte hij dat hij niet meer in 't donker lag. Er zat een meisje naast hem met een kap op en in het wit: een verpleegster. Wat moest die bij hem? Hij was toch niet ziek.

'Zuster,' wilde hij zeggen, maar het werd een raar geluidje, dun en schor. Ze greep zijn hand en knipperde met de ogen. 'Heel kalm zijn,' zei ze zacht.

Hij sloot de ogen weer, erg moe.

De ziekenauto gromde en schokte.

Na een poosje schrok hij op. 'Het kind,' zei hij. 'Het kind.'

'Dat is ook gevonden,' stelde de zuster hem gerust.

'En de anderen, de vrouw, de schipper... Er waren negen kinderen aan boord!'

'U moet heel kalm blijven,' zei de zuster.

16 DE KAPITEIN VOOR DE RAAD

I n de zaal van het grachtenhuis hingen geweven tapijten aan de muren, was een geschilderd plafond en goud met wit in de lambrisering. Maar alles was vervallen en dof geworden sinds het patriciërshuis zijn oorspronkelijke bestemming verloren had. Er stond een grote groene tafel, waarachter drie oudere, grijze of kale mannen zaten. De scherpe kop in het midden was vast een jurist. Zijn bijzitters, verweerd en fors met heldere ogen, konden onmogelijk hun leven in de rechtszaal en op een kantoor gesleten hebben. Het waren kennelijk zeelui.

Voor de tafel stond een sjofele figuur met ingezakte schouders en gebogen hoofd. Hij zei schor ja op alle vragen van de president.

Zijn naam was Aldert Salomons. Hij was kapitein geweest op de kof Rehoboth. Op de achtste juli was zijn schip gestrand op de banken ten zuiden van IJmuiden.

Na de formele vragen begon de Raad voor de Scheepvaart over de oorzaken van de scheepsramp.

Er was een hoos over het schip gegaan. Zo'n hoos kon gekke dingen doen, erkende de bijzitter rechts van de president. Maar dat in één ruk alle zeilen waren stukgeslagen, vond hij een vreemde zaak. Waren de zeilen wel goed?

'Ze waren heel,' antwoordde Salomons.

'Dat is geen antwoord op mijn vraag. Hoe oud waren ze?'

Salomons haalde zijn schouders op. Hij wist het niet.

De president keek zijn bijzitter aan. 'Nog meer te vragen?'

'Dank u,' antwoordde die. 'Ik zal het straks aan de getuige vragen.'

De andere bijzitter stelde ook zulke vragen over het schip. Dat een houten schip, als het op de banken strandt, door de golven wordt gesloopt, gebeurde vaak. Maar meestal duurde het dagen en soms maanden, voordat een schip uiteengeslagen was, en hier was dat in een uur gebeurd. Dat was onmogelijk bij een zeewaardig schip.

Ook op deze vragen antwoordde Salomons ontwijkend.

Na de schipper werd de loods als getuige gehoord.

De president vroeg hem of de kapitein van de kof zijn adviezen had opgevolgd.

'In ieder opzicht,' antwoordde Jan Loots.

'Dan is de stranding dus uw schuld?' concludeerde de president op vragende toon.

Jan Loots was even uit z'n doen. Hij wilde kapitein Salomons de hand boven het hoofd houden, maar om een schuld die hij niet had op zich te nemen... Hij zou liegen, als hij ja zei op de vraag van de president.

'Was de tuigage in orde?' vroeg dezelfde bijzitter, die daar al eerder naar had geïnformeerd.

'Het was mijn taak niet het tuig te onderzoeken, mijnheer.'

'Wat is uw indruk?'

Jan Loots keek naar de dof geworden gouden engeltjes op de witte lambrisering. Wat moest hij zeggen zonder de arme Salomons er in te luizen?

'Waren de zeilen nieuw?' probeerde de rechter.

'Nee... dát niet,' antwoordde Jan stamelend.

'Waren ze vaak gelapt?'

'Eh... ja,' erkende Jan aarzelend.

'Dank u, meneer de president. Ik weet genoeg,' besloot de bijzitter.

Even later kwam de andere bijzitter op de toestand van het schip terug. 'Was het een deugdelijk, zeewaardig schip?'

Jan kon niet anders zeggen dan dat het nogal oud was.

'Hm, nogal oud... Dat is gebleken, hè. Het anker glipte zomaar weg, het schip sloeg lelijk lek bij de eerste stoot, het werd verbrijzeld door de eerste zware grondzee. Zeg maar dat het een drijvende doodkist was.'

Jan zei niets. Hij kon het niet tegenspreken. Hij wilde het (om Salomons) ook niet toegeven.

De president trok na het verhoor de conclusie. Hij stelde vast dat de ramp te wijten was aan de erbarmelijke conditie van het schip en tuig en pakte tegen de kapitein uit. Het was een ongehoord schandaal dat hij met zo'n wrak schip naar zee gegaan was.

Jan Loots keek onder de aanklacht naar Salomons. Hij stond nog altijd voor de groene tafel, ineengedoken, diep gebogen, even wrak als zijn schip was op de dag waarop het onderging.

Er waren meer reders die dit deden: een onzeewaardige kist de zee op sturen, in de hoop dat het nooit terug zou komen, zodat ze de winst uit de verzekeringsuitkering op konden strijken. 'Een smerig bedrijf,' zei de president striemend.

Het was of de geselslagen van de president Aldert Salomons even zwaar troffen, als zijn kof getroffen was door hoos en brekers.

'Maar wat u gedaan hebt, is nog veel erger,' ging de president vlijmscherp verder. 'U hebt in plaats van vreemd volk uw vrouw en kinderen in een drijvende doodkist gestopt en hen roekeloos de dood in gejaagd. Schande!'

Was dit vreselijke oordeel recht en billijk, vroeg Jan Loots zich af. Salomons had toch zijn eigen vlees en bloed gewaagd, zijn vrouw en kinderen en zichzelf, omdat het niet anders kon.

De president gunde Salomons het laatste woord. Maar die bleef zwijgen.

Spreek toch, had Jan Loots wel willen schreeuwen. Zeg, dat je het niet deed om geld, dat het niet om winst te doen was. Dat het bittere noodzaak was. En dat je vrouw en kinderen...

'Hebt u niets meer te zeggen?' klonk het formeel. 'Dan...'

Toe dan, wou Loots wel sissen.

Toen ging Salomons langzaam rechtop staan. 'Eén vraag, meneer de president.' Hij sprak zacht en schor.

De president maakte een toestemmend handgebaar.

'Als u niets had, geen rooie cent, zou u dan nieuw tuig en een goed schip kunnen kopen?' vroeg Salomons zacht.

De president was een moment uit het veld geslagen. Dit had hij niet verwacht. 'Als ik geen geld had, voer ik geen eigen schip,' zei hij, zich snel herstellend.

'Hoe moest ik dan het brood voor vrouw en kinderen verdienen?' vroeg Salomons weer bijna klankloos.

De president werd korzelig. 'O, kun je dat alleen als kapitein-eigenaar? Ben je te trots om voor een rederij te varen? Wie is er kapitein-eigenaar? Van de duizend zeelui nog niet één! Was kapitein of stuurman bij de grote vaart geworden.'

'Dat kon ik niet, mijnheer de president,' zei Salomons. 'U weet, de kustvaart...'

De voorzitter van de Raad voor de Scheepvaart wist natuurlijk dat voor de kustvaart, ook om als kapitein te varen, maar minimale eisen golden. Voor stuurman grote vaart werd veel meer geëist.

'Dan had je als matroos of bootsman moeten gaan varen,' zei hij. Toen richtte Salomons zich opeens trots op. 'Ik vóór de mast?' zei hij. 'Mijn vader en grootvader waren kapitein, meneer de president. Ik ben ook jaren kapitein geweest. Ik vaar nóóit voor de mast.'

De president van de Raad voor de Scheepvaart werd wit bij deze woorden. De hamer beefde in zijn handen. Zijn stem was vlijmscherp, toen hij zei: 'Aan die trots van jou heb jij je vrouw en kinderen opgeofferd!'

Kapitein Salomons viel op zijn bankje neer als door een schot getroffen. Hij hoorde de uitspraak niet. Toen hem gezegd werd dat hij kon gaan, liep hij strompelend weg.

Jan Loots wilde hem achterna gaan. Maar de president hield hem aan.

'Een ogenblik,' zei hij en na een kort, fluisterend beraad hoorde de loods: 'De Raad wenst uit te spreken dat de loods vrijuit gaat. U hebt alles gedaan wat een goede loods behoort te doen en meer dan dat. Daarvoor verdient u lof.'

Meteen stelde de president een nieuwe zaak aan de orde.

Jan Loots ging weg. Hij liep langs kennissen die gekomen waren uit nieuwsgierigheid of om in andere zaken te getuigen. Ze knikten naar hem alsof ze wilden zeggen: Jij hebt een goeie beurt gemaakt. Maar hij schudde het hoofd, boos. De president had hem niet moeten prijzen, niet nu, nadat hij Salomons gestriemd had. Hij had die kapitein ook niet zó moeten berispen. Het mocht dan waar zijn dat hij vrouw en kinderen op het spel gezet had, er was nood geweest en hij had nu alles verloren.

Hij zag Salomons voor zich uit lopen, nog altijd diep voorover. Aan het eind van een straat leek hij te weifelen. Rechts was een kroeg, links...

Jan Loots legde een hand op zijn schouder.

Salomons schrok en trok zich ruw terug toen hij de loods herkende. Hij wilde niet lastig gevallen worden.

'Ga met mij mee,' zei Jan.

Hij weigerde bot en deed een stap in de richting van het café. En toen vond Jan dat hij geen zeloot moest zijn. Als Salomons zich een stuk in de kraag dronk, zou hij zijn ellende tenminste voor een poos vergeten.

Maar op dat ogenblik werd Jan getroffen door een blik van de ander, schichtig en tegelijk verlangend naar de andere kant, naar het water...

'Ga met mij mee,' herhaalde hij. 'Wybo is bij ons.'

Salomons streek met de hand langs het voorhoofd. Hij scheen het nauwelijks meer te weten. Wist hij nog wel wat? 'O ja,' murmelde hij. 'Jij hebt die jongen aan wal gebracht, is het niet?'

Toen hij met Jan bij Jane in de kamer zat, was hij verbitterd. De bevoegdheid om als kapitein op een schip te varen was hem voor een halfjaar ontnomen. Ze hadden hem evengoed levenslang de bevoegdheid kunnen afnemen; ze hadden hem ook géén straf kunnen opleggen. Het maakte hem allemaal niets uit. Hij zou immers nooit meer als kapitein op een schip kunnen varen, nu zijn kof was vergaan. Hij had niets meer. Hij wilde dat hijzelf ook verdronken was met zijn gezin. Want waarvoor leefde hij nog?

'Voor dat kind,' zei Jane naar buiten wijzend.

Salomons keek naar zijn kind dat buiten met die van Loots aan het spelen was. Hij had er nog niet naar om gekeken. 'Daar zit ik mee opgescheept,' mompelde hij somber.

'Daar zit je niet mee opgescheept,' wees Jane hem terecht. 'Wij zorgen voor Wybo net zolang als jij hem aan ons toevertrouwt. En jij leeft voor dat kind.'

Terwijl strengheid en spot zijn hart verbitterd hadden, maakte dit hem week. 'Jullie zijn beste lui... veel te goed voor een vent als ik.' Hij huilde.

'Kom, kom,' suste Jan Loots.

'Niet kom, kom,' schoot de ander, direct weer uit het lood, fel uit. 'Ik heb m'n vrouw en kinderen vermoord!'

'Je stond toch voor de keus: verdrinken of verhongeren?'

Zo had Salomons het zelf gezegd en tegenover de Raad voor de Scheepvaart had hij zich op deze grond verdedigd. Maar nu zag hij het anders. Het was zijn trots geweest, zijn kapiteinstrots, om alleen als eigenaar te willen varen en nooit vóór de mast. Daarom had hij vastgehouden aan die oude kof, ook toen het schip niet meer zeewaardig was en het een doodkist geworden was. Daaraan had hij zijn vrouw en kinderen opgeofferd. Hier was geen verontschuldiging en geen vergeving voor.

Jan Loots wist geen woord te zeggen. Hij dacht dat het toch iets anders lag. Hij dacht dat het de tragiek van de zeilvaart was waaraan Salomons vastzat, omdat hij te lang ermee doorgegaan was. Daarom moest hij ermee ondergaan. De kof was vergaan, de hele zeilvaart zou vergaan. Het was tragiek, geen misdaad. Zo ongeveer dacht Jan, maar hij kon het niet onder woorden brengen. En als hij het onder woorden had kunnen brengen, dan had het Salomons vast niet getroost.

Jane wist beter wat ze moest zeggen. 'Geen vergeving?' vroeg ze ontroerd, 'Voor *alles* is toch vergeving.'

Salomons keek haar even aan, maar staarde daarna weer verdrietig voor zich uit. Hij wist de weg, maar hij miste het geloof.

'Voor alles vergeving?' herhaalde hij vragend, terwijl hij rillend naar zijn handen keek. 'Voor mij niet. Er kleeft bloed aan mijn handen.'

'Er kleeft ook bloed aan het kruis,' zei Jane. 'Daarom is er wel vergeving, ook voor jou.'

Aldert Salomons richtte zijn hoofd langzaam op.

De volgende week voer Salomons als bootsman op een grote tramp de haven van IJmuiden uit. Ze gingen naar Hongkong en dan naar Sydney. Waar ze daarna naar toe zouden gaan wist niemand, maar het zou vast over wijde oceanen zijn. Daar was het Salomons om begonnen. Hij wilde op zee genezing zoeken voor zijn gewonde trots en zijn gewond hart.

Twee jaar later kwam Salomons bij Jane en Jan om Wybo op te halen. Zijn familie in Groningen wilde het kind graag verder opvoeden zolang hij voer. Hij was Jane en Jan erg dankbaar voor de zorg voor het kind en voor hem.

'Voor jou?' vroegen beiden tegelijk.

'Ja, voor mij. Jij Jan, hebt mij op die nare dag geholpen niet het water in te gaan. En jij, Jane, hebt mij de weg gewezen, waar zelfs ik terecht kon: bij het kruis.' Sindsdien liet Aldert Salomons weinig van zich horen. Hij was geen schrijver en zijn schip kwam maar zelden in IJmuiden.

Jaren later stapte Jan Loots in het stuurhuis van een kustvaartuig, die hij beloodsen moest. Hij groette vluchtig, zoals hij duizend keer gedaan had als hij op de brug kwam: 'Morgen, kap, morgen mannen...' En meteen daarop: 'Oost ten zuiden... halve kracht.' Hij had zijn aandacht bij zijn werk en lette nauwelijks op de mensen.

'Gaat dat zó, Loots?' vroeg de kapitein.

Jan fronste het voorhoofd. De stem had een bekende klank. Ook de ogen, licht en koel, meende hij eerder gezien te hebben. Maar als loods zag hij zoveel mensen. En het gezicht, vol, gladgeschoren, met een paar plooien bij de mond, kon hij niet thuisbrengen.

'Ik had toen nog een schippersringbaard.'

'Salomons!' riep Jan Loots plotseling.

De ander schudde hem de hand. 'Blij je weer te zien.'

Maar Jan was er nog niet helemaal bij. 'Je bent weer kapitein!'

Salomons glimlachte. 'Zetkapitein, maar toch kapitein.'

Jan Loots bekeek het schip, een kittig klein kustvaartuig, door een fikse motor aangedreven.

'Je bent er niet op achteruitgegaan,' stelde hij vast.

'Ik ben opnieuw gezegend,' erkende Aldert Salomons. 'En niet alleen wat het schip betreft.' Hij floot naar de machinekamer. 'Kom eens even boven,' zei hij door de spreekbuis.

Een minuut later stapte een jongen in een blauwe overal met olievlekken het stuurhuis binnen. 'Da's nou Jan Loots,' zei Salomons tegen hem.

De jongen keek hem aan, alsof hij een engel zag.

'Ja, hij heeft jou uit zee gehaald; anders was je vast en zeker verdronken,' voegde Salomons er aan toe.

'Is dat Wybo, zo'n kerel?' vroeg Jan Loots.

'Mijn zoon, mijn machinist!' zei Aldert Salomons dankbaar. 'Zijn je vrouw en jij vanavond thuis?'

'Ja,' zei Jan Loots, en meteen, want ze kwamen bij de pieren: 'Oostzuidoost en langzaam... Je moet toch in de hoogovenhaven zijn, is 't niet?'

'Jawel,' zei Salomons.

De Eerste Wereldoorlog was voor de Nederlandse loodsen geen drukke tijd. Er was maar weinig scheepvaart. In 1917 was de onbeperkte duikbotenoorlog begonnen en daarna bracht Jan Loots per maand maar een paar schepen binnen. In 1918 gingen er weken voorbij waarin hij geen enkel schip te loodsen had.

In die tijd was de scheepvaart niet alleen stil, maar leek de klok ook met een ruk teruggezet te zijn. Er waren veel meer zeilschepen dan voor de oorlog. Barken, schoeners en fregatten, die jaren afgetuigd en haveloos in het een of andere rommelhaventje gelegen hadden, waren van het schepenkerkhof naar een werf gesleept en daar opgeknapt, geteerd en getuigd. Door het gebrek aan kolen en aan schepen – omdat veel boten door oorlogsgeweld gezonken waren – waren de vrachtprijzen erg gestegen. De verladers konden ook weinig eisen stellen wat de vaartijd betreft, zodat er voor een zeilschip weer lonende vracht te vinden was.

Jan Loots haalde zijn hart op, wanneer na lang wachten het stipje dat zich op de lege horizon vertoonde, groeide tot de driehoek van een zeil en soms van veel zeilen. Trots stapte hij op een volschip, waar hij zijn orders gaf onder een wolk van doek, ook al was het maar een logger die in vredestijd altijd op eigen gelegenheid in- en uitvoeren. Nu hadden ze een loods nodig om hen door de mijnversperringen te brengen. Hij had altijd z'n draai als hij een zeilschip binnenbrengen mocht. Hij besefte wel dat dit een laatste en eigenlijk ongezonde opflikkering van de zeilvaart was, zoals er bij een stervende een laatste opflikkering kan zijn vóór de dood.

In die jaren was het op de loodsboot niet alleen een lang, maar dikwijls ook een gespannen wachten op de schepen die moesten binnenkomen. In vredestijd dacht je er nauwelijks aan dat een verwacht schip ook weleens niet kon komen. Sinds de opkomst van de stoomvaart was het aantal schipbreuken erg gedaald. En over de lading van een boot maakte een loods zich al helemaal niet druk. Vaak wist hij niet eens wat hij binnenbracht en het interesseerde hem ook niet. Maar nu het in de oorlogsjaren steeds slechter werd met de voedselvoorziening, keek iedereen reikhalzend uit naar de schepen. Met graan uit Amerika, ladingen sojabonen en cacao uit Afrika, houtboten uit Zweden, rijst, tabak en thee uit Indië. Van het veilig binnenkomen van deze schepen hing het af, of het magere rantsoen van de distributie gelijk kon blijven, of dat het nog minder zou worden en dus de buikriem nog strakker moest worden aangehaald. En niet alleen over de lading zat men op de loodsboot vaak in spanning, nog meer over het lot van schepen en bemanning.

Waar bleef een als verwacht gemelde boot? Werd hij nóg langer vastgehouden in de Downs, waar de Engelsen controleerden op smokkelwaar en helemaal geen haast hadden Nederlandse schepen door te laten? Ze verdachten de Nederlanders ervan verschillende goederen, opgegeven als bestemd voor het Nederlandse volk, naar Duitsland te smokkelen. Of was het schip op een mijn gelopen, of door een Duitse onderzeeër geraakt en met man en muis vergaan?

Ze waren opgelucht en blij als een schip, waar ze zich zorgen over gemaakt hadden of gedacht hadden dat hij niet meer zou komen, tenslotte toch verscheen. Bij het aan boord stappen begroette Jan Loots de mannen op de brug, vaak oude kennissen, heel anders dan met het laconieke en vlakke: 'Morgen kappie, morgen mannen' van voor die tijd. Je was nu blij de kerels weer te zien en wenste hen geluk met hun behouden vaart en welkom in het vaderland. En het gaf je een dankbaar gevoel, iedere keer als je een schip behouden binnen had gebracht. Daar was dan weer een lading graan voor brood, een lading steenkool om de koude kamers te verwarmen en een lading rijst voor zieke mensen. En thee, cacao, tabak en koffie om een beetje plezier te brengen in het sombere leven in oorlogstijd.

De Tweede Wereldoorlog was voor Jan Loots in de eerste negen maanden een herhaling van de Eerste. Dezelfde slapte in de vaart; dezelfde spanningen over het lot van schepen en bemanning. In mei '40 werd het plotseling anders. In de stormachtige oorlogsdagen vluchtten veel schepen, volgepropt met Joden, naar Engeland. Alleen de Engelse torpedojager Codrington, die de prinselijke familie naar haar ballingsoord bracht, kwam de haven van IJmuiden binnen. Bij de capitulatie werd de Jan Pieterszoon Coen, een grote mailboot van de Nederland, binnen de pieren van IJmuiden tot zinken gebracht. De haven raakte daardoor verstopt. Er kon geen muis meer uit of in.

Zo bleef het niet; de havenmond werd door de Duitsers weer vrij gemaakt. Maar Nederland bleef afgesloten van de wereldzeeën. Er was alleen wat kustvaart op havens die onder de macht van Hitler stonden. Verder voeren er grauwe schepen met de Duitse oorlogsvlag op het hek: onderzeeërs, voorposten- en motortorpedoboten en begeleiders van konvooien de haven in en uit. Met deze oorlogsschepen hadden de Nederlandse loodsen niets te maken; ze wisten zelf de weg tussen de banken en mijnenvelden. De loodsen hadden alleen met de kustvaart van doen.

In het begin deed Jan Loots dit werk zonder bezwaar en met een zekere voldoening. Het leek een beetje op de tijd van de Eerste Wereldoorlog. Er was weer gebrek in het land en alles wat er binnenkwam was welkom. Maar steeds meer kreeg hij in de gaten dat een lading hout uit Zweden niet bij de Nederlandse timmerlui voor de huizenbouw terechtkwam, maar bij de Duitse Wehrmacht, om gebruikt te worden voor geschutsopstellingen en mitrailleursnesten. En een lading erts uit Narvik ging niet naar de Nederlandse hoogovens om tot schoppen en ploegen verwerkt te worden, maar naar Krupp in Essen voor kanonnen. Jan kreeg in die dagen kleine, onooglijke blaadjes in handen, vaak gestencild, later meer en meer gedrukt, maar meestal vlekkerig. De inhoud van die blaadjes was veel interessanter dan die van de gewone kranten. Die werden steeds meer de spreekbuizen van Goebbels, Hitlers hielenlikker. Hij zag de pers alleen als een instrument om de geest van het volk te kneden naar zijn wil en ging uit van de stelling dat iedere leugen werd geloofd, als hij maar hard genoeg werd uitgeschreeuwd en vaak genoeg herhaald. Jan Loots las zijn gewone dagblad met een spottend trekje om de mond: ze kunnen me nog meer vertellen, of gooide de krant, geërgerd door de leugens, weg. Liever las hij de illegale blaadjes, die nieuws brachten uit de vrije wereld en feiten vermeldden, vierkant in strijd met wat de gelijkgeschakelde pers had voorgeschoteld. Maar die krantjes deden Jan Loots' geweten ook kloppen. Ze waren vlijmscherp tegen de Nederlanders die collaboreerden met de vijand. Door voor de Duitsers vliegvelden aan te leggen of de duikbootbunkers in IJmuiden en de betonnen onderkomens en geschutsopstellingen in de duinen te bouwen, of oorlogsschepen te repareren. Dat was hulpverlening aan de vijand, landverraad! Er stond in het blaadje niet bij dat het doen van loodsdiensten ook landverraad was. Maar als de lading hout die je hielp binnenbrengen, gebruikt werd bij de aanleg van de vliegvelden, en als het cement dat je binnenbracht rechtstreeks naar de in aanbouw zijnde duikbootbunkers ging, en als het aangevoerde erts voor Krupp, dus voor kanonnen bestemd was, dan wist je het zelf wel.

In de Eerste Wereldoorlog was Jan Loots blij geweest, als hij eindelijk weer eens een schip beloodsen mocht en dankbaar als hij het veilig binnengebracht had. Nu beklom hij vaak met een schuldgevoel de loodsladder. Het luchtte hem op als hij merkte dat het een lading levertraan en vis uit Noorwegen was, wijn uit Frankrijk, of sinaasappelen en citroenen uit Spanje. Dat was geen oorlogsmateriaal. Daarna las hij weer in het illegale blaadje dat de Duitse bezetters zoveel vis aten als ze lustten, terwijl de Nederlanders bijna geen visje konden krijgen. En dat de Duitsers zwelgden in wijn, terwijl er niets voor de Nederlanders was. Dan sprak zijn geweten weer. Hij kon dit niet helemaal tot zwijgen brengen door te denken dat wijnzuipende soldaten daar geen betere vechters door werden.

Op een dag moest hij een kleine Duitse kustvaarder binnenbrengen.

'Wat voor lading, kap?' vroeg hij, terwijl hij het schip met een boog naar de pieren stuurde om vrij te blijven van de mijnversperring.

'Stukgoed,' antwoordde de kapitein en draaide zich meteen om, blijkbaar niet van plan meer los te laten.

Jan Loots bracht het schip door de mijnenvrije geul en langs het wrak van de Jan Pieterszoon Coen naar binnen en koerste op de sluizen aan. Toen zei de Duitse kapitein dat hij niet door de sluizen moest. Hij moest in de haringhaven zijn.

Dit vond Jan vreemd. In de haringhaven lagen alleen loggers.

'Weet u zeker dat u daar moet zijn, kapitein?'

'Mijn instructies zijn volkomen duidelijk,' zei de Duitser uit de hoogte. Hij kende zelfs de steiger waar hij moest aanleggen. 't Was bij de eerste duikbotenbunker, die kortgeleden klaargekomen was.

Toen schrok Jan Loots. Hij begon te vermoeden wat het stukgoed was, dat ze aanvoerden. Dit vermoeden werd nog sterker toen al bij het meren de luiken van de ruimen gingen en hij langwerpige kistjes zag. Op weg naar huis had hij het moeilijk. Deze reis had hij héél zeker de vijand geholpen bij zijn oorlogvoering.

Onder het middageten vroeg Jane hem of er wat aan scheelde. Hij was afwezig en at weinig. Hij antwoordde dat er niets aan de hand was, ging vlugger eten en maakte grapjes met de kinderen. Maar op zo'n manier dat die elkaar en hem verbaasd aankeken in plaats dat ze erom lachten.

Toen de kinderen weg waren, vertelde hij het wel aan Jane. Hij had een schip met munitie, bestemd voor Duitse onderzeeërs, binnengebracht.

Ze schrok. Dat was een gevaarlijke lading. Als hij eens op een mijn gelopen was. Dan was de boot geëxplodeerd.

Over die angst haalde Jan de schouders op. Hij kende de veilige vaargeul precies. Maar hij piekerde over het andere. Met de munitie die hij had binnengebracht, gingen straks de Duitse onderzeeërs het zeegat uit om te proberen geallieerde schepen de grond in te boren. Best mogelijk dat een Nederlands schip ermee beschoten werd. Best mogelijk dat zijn eigen collega's door deze granaten werden gedood. Ze hadden in de meidagen verscheidene schepen weggebracht en waren in Engeland gebleven. Of andere loodsen, die later Engelandvaarder geworden waren en nu bij de marine dienst deden of bij de koopvaardij waren gegaan. Daarover brak het zweet van zelfverwijt hem uit. 'Ik doe het niet meer,' zei hij. 'Als ze me weer tot zo iets willen pressen, weiger ik.'

Jane maakte zich zorgen. Als hij dienst weigerde, zou het ene gevaar voorbij zijn, maar het andere kwam, levensgroot. Als hij dienst weigerde, zou hij niet alleen ontslagen worden, maar zouden de Duitsers dat zien als sabotage. Dan ging hij de gevangenis in. Best mogelijk dat hij de kogel kreeg. De Duitsers waren bikkelhard.

Jan ging raad vragen aan zijn dominee. Die bad iedere zondag in de kerk voor de mannen van de koopvaardij en van de vloot. En voor de bevrijding van het vaderland en de terugkeer van het Oranjehuis, zonder zich te storen aan de Duitsers. Hij zou zijn moeilijkheden best begrijpen.

'Vindt u niet, dominee, dat ik weigeren moet, ook al raak ik mijn baan kwijt?'

De predikant knikte en hij voegde eraan toe dat hij zich over zijn dagelijks brood geen zorgen moest maken. Dat kwam best in orde. Goede Nederlanders hielpen elkaar.

'Maar als ze me eens oppakken,' opperde Jan.

'Je moet zorgen dat je weg bent voordat ze dat doen. Onderduiken is zo'n kunst niet. Ik weet best een gaatje waarin je kunt verdwijnen.'

'Dan duik ik onder,' besloot Jan.

'Liever nog niet,' zei de predikant. 'Misschien is het beter dat je blijft.'

'Ook als ik zulke schepen moet binnenbrengen?' vroeg Jan.

'Ja.'

Jan was verbaasd. Dit was een vreemde ommezwaai, die hij van deze dominee helemaal niet verwacht had.

'Tenminste als je bij je werk risico's durft te nemen,' ging de dominee verder.

Nu snapte Jan er helemaal niets meer van.

'We willen graag op de hoogte zijn van de scheepsbewegingen van de Duitsers.'

'U?' vroeg Jan. Hij had geen idee wat voor belang een dominee daarbij kon hebben.

De predikant glimlachte. 'Een dominee heeft tegenwoordig soms heel wonderlijke dingen bij de hand.' Ernstig vervolgde hij: 'Wil je met ons meewerken aan de bevrijding van het vaderland?'

Jans ogen lichtten op. Kon dat? Kon hij daaraan meedoen? Hij was vaak jaloers geweest op zijn collega's die naar Engeland gevaren waren. Hij had er weleens over gedacht ook naar de overkant te gaan. Vooral in de eerste tijd waren er nog wel mogelijkheden, al waren die dan riskant. Maar hij dacht dat hij, nu hij tegen de zestig liep, te oud was om nog dienst te nemen op de vloot.

'Je bent toch nog gezond en sterk, is het niet?'

'Gelukkig wel,' kon hij zeggen.

'We hebben je graag bij het illegale werk.'

Hij had tijdens het gesprek al zo iets vermoed. 'Als ik u daarin helpen kan, graag, dominee,' bood hij aan.

Zo was hij bij de loodsdienst gebleven en had hij schepen, die voor de Duitsers voeren, ook schepen met munitie, naar binnen en naar zee gebracht.

Toen de verzetsgeest sterker werd, moest hij daarover van de mensen in IJmuiden nogal eens iets horen. Ze verbaasden zich over hem, ze ergerden zich aan zijn gedrag en gingen hem zelfs wantrouwen. Hij moest ervaren dat de mensen elkaar waarschuwden en plotseling zwegen als hij in de buurt kwam. Hij klaagde erover bij de dominee, maar die zei dat hij dit kruis maar dragen moest voor het vaderland. En dagelijks bracht hij verslag uit in de pastorie.

Op een zomeravond loodste Jan een Duitse boot de haven van IJmuiden uit. De Heinrich Damm was de vorige dag van Hamburg gekomen en ging, nadat hij een deel van zijn lading aan de haringhaven had gelost, nu door naar Loreant. Het was helder weer. De kapitein en de stuurman speurden door hun kijkers de lucht af. Ze zagen niets, maar dit stelde hen niet gerust, want het was onmogelijk recht in de zon te kijken, die naar het westen daalde. Als de Tommies kwamen, zouden ze natuurlijk uit de zon aanvallen. Voorbij de uiterton lag het konvooi waar de Heinrich Damm zich bij aan moest sluiten. Er waren drie escorteschepen bij, zwaar bewapend met luchtdoelartillerie. De kleine afstand tussen de pieren en het konvooi voer de Heinrich onbeschermd. Dat was te wagen. 't Zou toevallig zijn, als de Tommies nu juist kwamen. Tenzij ze het wisten... Maar ze wisten het natuurlijk niet.

Jan Loots liep in het stuurhuis op en neer, zoals hij vaak deed, telkens naar voren en dan weer naar achteren kijkend op de bakens van IJmuiden, om de koers te controleren. Soms gaf hij een kalme order aan de roerganger of aan de man die de telegraaf bediende. Hij keek af en toe ook op z'n horloge.

Kapitein Werner liet zijn kijker zakken, z'n stuurman lette wel op. Hij maakte een praatje met de loods en beklaagde zich. Een jaar geleden was zijn huis in Hamburg bij een luchtbombardement in puin gegaan, en waren twee van zijn kinderen gedood. Zijn vrouw en het derde kind waren geëvacueerd en nu had hij niets van haar gehoord toen hij de laatste keer in Hamburg was. Hij wist niet hoe het met haar was. Ach, was de Krieg maar voorbij!

Loots zei er niet veel op. Voor het eerst sinds 10 mei '40 had hij medelijden met een Duitser.

Een bediende bracht koffie op de brug.

'Haal er voor de loods een punt gebak bij,' droeg de kapitein hem op. 'Dat krijgen ze in Nederland niet te veel.'

'Van dit soort krijgen wij tegenwoordig helemaal niets meer,' zei Jan Loots, toen de jongeman het bracht: roomtaart, met geconfijte vruchten.

'Eet er smakelijk van,' wenste de kapitein. ''t Is je gegund.'

Jan Loots at en keek ondertussen een paar keer op zijn horloge. De loodsboot was niet ver meer af.

'Nu stuurpunt nemen op de uiterton,' zei hij tegen de roerganger.

'Kapitein, vindt u het goed dat ik van boord ga? Er zit u niets meer in de weg.'

De kapitein had het recht de loods aan boord te houden tot de uiterton, maar Werner was hem graag terwille. 'Als je wilt... Eerst nog een kopje koffie?'

'Dank u,' zei Jan.

'Wel, het beste dan. Auf Wiedersehen!'

'Auf Wiedersehen!' groette Jan de kapitein en de anderen in het stuurhuis. Hij liep een beetje gehaast de trap af.

In de walegang kwam de bediende die hem van koffie en gebak voorzien had, hem achterop: 'Loods! Loods!'

Jan draaide zich om. De jongen had een doos in de hand.

'U hebt kinderen?' vroeg hij.

Jan Loots knikte.

'Een taart voor hen; ze lusten hem vast wel, nietwaar?'

'Nou...! Da's aardig van je,' zei Jan Loots. 'Dat is bijzonder aardig.'

Hij nam de doos en keek de jongen aan; hij had zwart haar en zonnige ogen. 'Je moest eigenlijk met me meegaan,' zei hij.

'Naar uw huis? Ja! Ach, 's wär' zu schön gewesen. Ik heb in een jaar mijn broers en zusters niet gezien. Maar na deze reis ga ik naar Mutti toe. Fijn!'

Jan vond hem een aardige jongen, zo kinderlijk. 'Je moest toch maar meegaan,' zei hij.

De jongen lachte. Dat kon toch niet.

Jan Loots wist het. 't Kon niet. 'Als je weer in IJmuiden komt, moet je eens bij ons aanwippen.' Meteen beet hij zich op de lippen.

'Mag ik? Graag! Op de terugweg van Loreant komen we hier vast weer.'

Jan Loots keek weer op zijn horloge. De jol van de loodsboot was er nog niet. Hij leek ongeduldig.

Daar kwam de jol. Snel klom hij over de reling, en daalde de ladder af. Toen hij beneden was, schoot de jol aan. Hij wachtte even tot ze met een golf weer naar beneden ging, toen stapte hij vlug over. 'Maak dat je hier weg komt,' zei hij fluisterend tegen de man aan het roer.

De motor raasde; de jol schoot weg.

'Auf Wiedersehen!' riep de zwarte jongen met de zonnige ogen hem na.

Jan Loots keek achterom en wuifde en daarna nog naar kapitein Werner, die hem van de brug af ook een groet nawierp.

De Aldebaran pikte de jol snel op. Nog tijdens het hijsen zwenkte de loodsboot en zette de machines aan om vlug bij het Duitse schip vandaan te komen.

'We zijn op tijd,' zei Jan Loots zachtjes tegen de schipper, toen ze samen aan de kant van het stuurhuis op de brug stonden.

'Nét op tijd,' antwoordde die. 'Kijk!'

Hij wees naar vijf zwarte stipjes, even zichtbaar naast de zon.

Jan Loots keek op zijn polshorloge. 'Lui van de klok,' prees hij.

Het knetterde en knalde op de escorteschepen in de verte. Er hing plotseling een hele serie kleine witte wolkjes van ontploffende granaten hoog in de blauwe lucht.

Maar het was de Tommies niet in de eerste plaats om het konvooi te doen. Ze vlogen op de onbeschermde boot aan. Die ging ook schieten, maar nauwelijks was zijn batterij in werking of het escadrille scheerde al over de Heinrich Damm en van de Aldebaran af zag men de bommen vallen, net sigaren.

Het Duitse schip verdween temidden van fonteinen. Jan Loots keek toe, zijn handen tot vuisten gebald in de zakken; zijn mond was een haarscherpe streep; hij trilde van spanning.

Toen de waterzuilen zakten, kwam de Heinrich weer tevoorschijn; ongedeerd.

'Verdraaid, 't was mis!' hoorde Jan Loots achter zich, teleurgesteld. Hij zweeg en veegde zich het zweet van het voorhoofd en uit zijn hals.

Het escadrille maakte een wijde cirkel om de noord. Daarop zwol het gedonder van de motoren opnieuw aan. Ze kwamen terug voor een tweede aanval op de boot. Weer knetterde het afweervuur van de Heinrich, maar de Engelsen kwamen natuurlijk uit de zon. De Duitsers zagen dus geen doel, de Tommies wel. Daar kwamen de vijf vingers aan één hand aansuizen. Weer regenden hun bommen.

Jan Loots keek gespannen toe. Eén bom zag hij links, één rechts van de boot vallen. De derde en vierde...?! De vijfde viel ver naast het doel.

Er stegen maar drie waterzuilen op. Dan moesten de bommen drie en vier blindgangers of voltreffers geweest zijn! Jan Loots stopte de vingers in de oren.

Er gebeurde niets. Het escadrille donderde over de Aldebaran heen en verdween voor de tweede keer met een snelle zwaai in het niets. Het afweervuur op de escorteschepen en de Heinrich zweeg. Na het daverend strijdrumoer werd het stil.

Jan was verrast. Het waren dus blindgangers. Dit had hij niet verwacht. Het moest hem spijten. Maar hij voelde zich opgelucht. Die kapitein, die zoveel ellende van de oorlog had ondervonden en zo verlangde naar de vrede; de zwarte jongen met de zonnige ogen...

Opeens scheurde een knal de stilte. Uit de Heinrich Mann steeg een witte rookwolk op. Er volgden een tweede en een derde daverende knal. En toen was het of de hel was losgebarsten. Het kraakte en knalde met groot geweld op het Duitse schip. De witte wolk werd geel en groen, en steeds groter. Toen schoot een gele steekvlam plotseling uit de Heinrich Mann hoog de lucht in en volgde een knal zo daverend, dat de Aldebaran uit zee opsprong en de mannen in het stuurhuis tegen de wand geslingerd werden. Jan Loots dacht 'n ogenblik aan een ontploffing op de loodsboot, maar het kwam alleen door de luchtdruk van de explosie op het Duitse schip. Dat was nu helemaal gehuld in een giftig groene en gele wolk.

Toen de rook eindelijk optrok, zagen ze van de loodsboot af het einde van de Heinrich Mann: een achtersteven, die steil omhoog kwam om snel te verdwijnen in kokend, borrelend, bruisend water.

De mannen van de Aldebaran hadden ademloos toegekeken. Nu het drama voorbij was, werden ze luidruchtig. 'De mof kreeg op zijn ziel. Goed zo! Hoe meer hoe beter! Hitler-Duitsland moet kapot.'

Jan Loots zei niets. Hij stond in een hoek van het stuurhuis, de vuisten nog steeds in de zakken. Zijn hart hamerde, zijn tanden klapperden. Hij perste zijn kaken op elkaar om het klapperen te voorkomen, maar het lukte hem niet. Hij schold zichzelf uit voor een slappeling die niet tegen de oorlog kon. Het was toch oorlog en hij moest vechten voor zijn land. Dat had hij toch gewild! Nu had hij eindelijk iets gedaan en nu voelde hij zich een verrader en moordenaar. Die vriendelijke kapitein Werner, die aardige zwarte jongen met de zonnige ogen. Auf Wiedersehen, hadden ze allebei gezegd.

Vanmorgen, nadat hij met de kapitein van de Heinrich Mann afgesproken had op welk uur hij aan boord zou moeten zijn om het schip naar buiten te brengen, was hij naar de dominee gegaan. 'Om zeven uur tussen de pieren en de uiterton,' had hij gezegd. 'Het is de moeite waard; de schuit zit vol met munitie.'

Toen hij vanmiddag naar de Heinrich Mann toe ging, had de predikant hem bij de kade opgewacht. ''t Is in orde,' had hij gezegd. 'Om klokslag zeven. Zorg dat je er op tijd weg bent.'

Hij had ervoor gezorgd. Zijn hachje was gered. Maar kapitein Werner; de mannen die zonet met hem in het stuurhuis stonden; de zwarte jongen met de zonnige ogen... Jan keek naar de plaats waar de Heinrich Mann onder was gegaan. De zee, langzaam kalmerend na de geweldige beroering van de explosies, dreef daar vol wrakgoed.

Plotseling schrok Jan op uit zijn verdoving. 'We moeten erop af, schipper. We moeten redden wat we redden kunnen.'

Achter hem werd gegromd. Bij het konvooi ten westen van de uiterton was het gevecht nu volop aan de gang. Tommies deden stoot na stoot op de schepen en de escorteurs spoten vuur. Moesten zij zich in die buurt wagen? Moesten zij, hoe dan ook, moffen redden die de oorlog hadden verklaard en alle ellende over Nederland gebracht hadden? 'Laat ze verzuipen!' riep een matroos.

Jan rilde, hoewel hij zelf ook weleens op die manier gesproken had. De haat tegen de overweldigers was groot bij alle Nederlanders. Maar nu hij dit had aangericht, brandde het hem op zijn geweten.

Hij werd kwaad. 'Willen jullie net zo gemeen zijn als zij!' riep hij uit. 'Willen jullie die arme bliksems voor je ogen laten verzuipen? Dat doen moffen en Jappen, Nederlanders niet! Schipper!'

Het was half een verzoek, half een bevel, hoewel hij op de loodsboot niets te commanderen had.

Maar de schipper deed wat hij zei. Hij liet zijn boot op tegenkoers gaan en stuurde aan op het wrakgoed, dat ronddreef op de plaats waar de Heinrich Mann verdwenen was. Daar liet hij beide jollen strijken.

Jan Loots was in de eerste jol. Hij pikte een vlot op, waarop de tweede stuurman en een paar matrozen van het gezonken schip zaten. Hij vond een rubberboot met vier mannen, maar die waren allemaal dood. Hij haalde ook een zwemmer in zijn boot. Naar de kapitein en naar de zwarte jongen met de zonnige ogen zocht hij tevergeefs. Maar het was mogelijk dat de andere jol, die al terug was bij de Aldebaran, hen had gevonden. De geredden waren in het loodsenlogies gebracht. De gewonden lagen er in de kooien. Jan Loots vond kapitein Werner, zwaargewond, maar op dat ogenblik bij kennis. Hij herkende Jan. 'Dit is een spoedig Wiedersehen, Lotse,' zei hij met een pijnlijk lachje. Jan draaide zich snel om, omdat hij een steek van binnen voelde en hij moest ook de zwarte jongen zoeken. Maar die was niet bij de geredden. Toen hij weer boven kwam, was de Aldebaran al gedraaid om naar binnen te gaan.

'Ik moet nog even in de jol,' zei hij tegen de schipper.

'Hij is al gehesen en wat moet je ermee?'

'Een jongen zoeken.'

'We hebben alles opgepikt wat nog in leven was.'

Jan Loots hield aan en de schipper gaf toe, maar wel met tegenzin. Er was niets meer op te pikken en de gewonden moesten nodig naar de wal. Ook wilde hij weg bij het gevecht tussen de vliegtuigen en de escorteschepen dat nog steeds aan de gang was voorbij de uiterton.

Toen Jan weer tussen het wrakhout door voer, moest hij erkennen dat dit zoeken dwaasheid was. Wat er nog op vlotten ronddreef waren alleen lijken of uiteengescheurde ledematen; benen, armen, een romp, een hoofd...

Hij stuurde de jol terug naar de Aldebaran. Terwijl ze opgehesen werden zochten zijn ogen nog eens de zee af, maar het was natuurlijk onmogelijk dat de jongen nog zou leven.

Hij ging naar de gewonden kijken. Kapitein Werner was nu buiten westen. Een matroos sloeg wartaal uit. Drie anderen jammerden van pijn. Jan hield het er niet uit. Hij ging weer naar de brug, maar voelde zich niet lekker. Opeens schoot hij naar de reling en gaf over.

'Wat nou loods, zeeziek?' vroeg een leerling spottend.

De schipper legde de jongeman bruusk het zwijgen op. Hijzelf was ook kotsmisselijk van alle ellende en narigheid.

151

Die avond laat zat Jan bij de dominee om verslag te doen. De predikant was tevreden over de actie.

Jan was het niet. Hij veegde met zijn zakdoek langs zijn voorhoofd en zijn hals, omdat het zweet hem steeds uitbrak. Hij zag maar steeds de zwarte jongen met de zonnige ogen voor zich, die zo graag naar zijn Mutti wilde, en hij dacht aan kapitein Werner, die zo verlangde naar de vrede. Hij lag nu in het ziekenhuis. Het zou een dubbeltje op zijn kant zijn als hij het haalde, had de dokter gezegd. En dit had hij die mensen aangedaan! Het was een beroerde zaak.

'Dat is het,' gaf de dominee toe, 'beroerd, wreed en goddeloos.'

'En wij doen daaraan mee!' klaagde Jan Loots. 'Ik heb die lui, die aardige jongen ook, vermoord.'

'Denk aan wat de Heinrich Mann vervoerde,' zei de dominee.

'Munitie, nou ja...'

'Granaten voor de kanonnen van de U-boten.'

Jan staarde zwijgend voor zich.

'Granaten bestemd om afgevuurd te worden op geallieerde koopvaarders, ook op Nederlandse schepen,' ging de predikant door.

Nog zei Jan niets.

'Wie weet hoeveel van onze zeelui je het leven gered hebt.'

Jan knikte slap. Dat was natuurlijk allemaal waar, maar hij had die andere zeelui van het leven beroofd. Die aardige zwarte jongen en zeventien anderen, met wie hij om zes uur de haven van IJmuiden was uitgevaren, geen van allen kwaaie kerels. En waarschijnlijk zou kapitein Werner het ook niet halen.

De dominee bad samen met hem, eerst voor de Duitse kapitein, die op dat ogenblik op de operatietafel lag. Dat deed Jan goed. En daarna voor vrede en vrijheid. Toen om een helder inzicht in de verwarde en duistere situatie waarin alleen het zwaard, in dienst van het recht, het duivelse geweld kon keren. En tenslotte om een dapper hart voor alles wat de strijd voor recht en vrijheid eiste.

Jan werd erdoor gesterkt. 'Ik hoop u morgenochtend weer bericht te brengen,' zei hij, zich vermannend.

'Goed zo. Voorzichtig, hè. Je kent de risico's.'

Aan deze risico's: het concentratiekamp of de kogel, dacht Jan nauwelijks. In zekere zin deed het hem goed dat ze er waren. Als ze er niet waren, was wat hij deed een laffe zaak. Nu ging het leven tegen leven.

Op weg naar huis vroeg hij in het ziekenhuis naar de Duitse kapitein.

'Operatie geslaagd; patiënt maakt het naar omstandigheden goed,' zei de zuster stereotiep.

Hij begreep dat er nog niets te zeggen was. 'Mag ik morgen nog eens komen vragen?'

'Zoals u wilt.' Het klonk koel, zelfs wat vijandig. Jan merkte dat ze een blaadje waarin ze had zitten lezen, verder onder een boek schoof.

Hij begreep dat ze een man die naar een Duitser informeerde niet vertrouwde. Terwijl hij wegging, glimlachte hij treurig. De oorlog was een erg verwarde tijd.

De volgende morgen rapporteerde hij aan de dominee welke schepen er die dag zouden vertrekken, en welke er werden verwacht. De Vegesack, die volgens de kustwacht langs Terschelling was gekomen, bracht altijd torpedo's voor de onderzeeërs. Hij zou die middag tussen drie en vier uur ter hoogte van IJmuiden zijn.

Terwijl het rapport in code per geheime zender naar Engeland werd gezonden, kocht Jan Loots kersen voor de Duitse kapitein. Hij mocht ze zelf brengen. Werner was kinderlijk blij met het meeleven van een Nederlander.

Jan Loots durfde de Duitser niet recht in het gezicht te kijken; hij moest ook telkens slikken. Algauw ging hij weer weg. 'Omdat u rust nodig hebt, zo vlak na de operatie,' zei hij, maar het was veel meer omdat hij zich zo moeilijk goed kon houden. Hij kon Werner niet haten, integendeel, hij mócht die man. En toch moest er gevochten worden voor de vrijheid.

18   EEN TEGENLIGGER

O p die ene keer na, toen de wrakke kof in de hoos een lamme vogel werd en daarna op de bank aan brokken werd geslagen door de branding, had Jan Loots in zijn lange loopbaan nauwelijks ongelukken meegemaakt op de schepen die hij loodste. Hij stond bekend als bekwaam, voorzichtig en gelukkig.
Maar toen zijn pensioen al in zicht kwam...
Jane en hij waren samen overgebleven, nadat hun kinderen de een na de ander waren getrouwd, behalve één dochter die verpleegster geworden was in een zendingshospitaal op Java. Hij moest die avond met het laatste bootje naar de Aldebaran. Bij het weggaan gaf hij Jane een zoen, zoals altijd. Soms was die warm, want ze hielden van elkaar. Nu ze ouder waren minder onstuimig maar even sterk als in hun jonge jaren, soms ook vluchtig, als hij met zijn gedachten ergens anders was. Deze keer lag het tussen de uitersten in. 'Dag vrouwtje, tot morgen.' Hij zoende haar op haar voorhoofd en wilde meteen weggaan. 't Was tijd.
Maar zij omhelsde hem krampachtig. 'Als je maar weer terugkomt!' zei ze angstig.
Hij vond dat zij zich aanstelde. Als het nu slecht weer was! Maar het was fraai zomerweer; de zon scheen helder en er was maar weinig wind. Het glas stond hoog. De radio had voor morgen ook mooi weer voorspeld. En de oorlog met al zijn spanningen en verschrikkingen was voorbij. Daar waren ze goed doorgekomen. In de bezettingstijd was Jane dapper en flink geweest. Ze wist wat hij deed voor de bevrijding. Ze kende ook de risico's die hij daarbij liep, maar ze had hem nooit tegengehouden, eerder aangemoedigd. Het was zijn plicht de koningin te dienen, vond ze. En nu waren ook de mijnen die voor IJmuiden gelegen hadden, zorgvuldig opgeruimd. Er was geen gevaar meer.

'We zijn alle dagen in gevaar,' antwoordde ze.

'Natuurlijk, jij evengoed als ik. Als jij een boodschap doet, kun je door een auto worden aangereden.'

Dat wist ze wel. Maar toch... Ze had een voorgevoel.

'Dat voorgevoel van jou,' zei hij wat korzelig, omdat hij het zo ongegrond vond.

'Ik zal voor je bidden,' beloofde ze.

Hij gaf haar nog een zoen, nu op de mond, die een beetje ingevallen was, maar ze had nog altijd volle lippen en frisse wangen.

Toen ging hij weg.

Op de hoek van de straat draaide hij zich om en wuifde naar haar, zoals hij altijd deed. Ze zwaaide naar hem. Krampachtig, vond hij. Ze was nóg angstig. Het maakte hem weer korzelig. Die angst was onzin. Het was ideaal weer. Een licht briesje, dat uit zee kwam, nam de hitte weg.

Tegen twaalf uur 's nachts werd hij naar het schip gebracht dat hij moest binnenloodsen. Het was een groot passagiersschip. Toen hij over de reling klom, stond het dek vol mensen, ook vrouwen en kinderen. Ze wilden allemaal het binnenvaren zien. Hij liep tussen de mensen door over het helverlichte dek. De vrouwen waren geel, de meeste kinderen mager, zoals meestal na jaren in de tropen. Ze waren allemaal erg opgewonden vlak voor het einde van de lange reis. Vol verwachting keken ze naar de vele lichten aan de kust: de boulevard van Bloemendaal en de vele havenvuren van IJmuiden; daarachter rood oplaaiend vuur; er werd een hoogoven geleegd.

Jan Loots ging naar de brug. Hij gaf de gebruikelijke aanwijzingen. Algauw had hij het schip op de havenas. Binnen een half uur zouden ze in de noordersluis liggen.

Toen was het opeens alsof een reus het schip in natte watten pakte. De lichte boulevard van Bloemendaal was weg; het rode vuur doofde en verdween; de havenlichten van IJmuiden smolten weg. Zelfs de toplichten in de hoge masten van het schip werden wazig in de dichte mist.

Als deze mist vóór de oorlog was gevallen, zou de boot hebben moeten ankeren, of, als ze al te dicht bij de pieren waren, hebben moeten zwenken om voorzichtig ruimer water op te zoeken. Nu was dat niet meer nodig. Hoog in de voormast draaide een schild steeds rond en in het stuurhuis stond een apparaat dat op een ouderwets fototoestel leek. Zo'n kast op hoge poten, met een doek erover, waaronder een fotograaf kroop om op een matglazen plaat het beeld te zien dat op zijn foto zou komen. Op deze radar had de boot op zee door dichte mist gevaren en alles wat hem tegenkwam verkend. Nu kon hij daarop ook de haven in, oordeelde de kapitein. Jan Loots was het daar graag mee eens. Hij had zoveel gelezen over de radar en had vaak op het scherm van verschillende boten gekeken die hij loodste. Het was een prachtuitvinding, die hij nu graag in de praktijk wilde toepassen.

Jan kroop onder de doek. Terwijl daarbuiten het scherpste zoeklicht verdronk in grijze wolken, zag hij hier de kust glashelder: vurige partijen, die helderder oplichtten als de langzaam draaiende wijzer erover streek. Hij herkende die partijen: de semafoor, de duinen en heel dichtbij de pieren.

Hij zag op het scherm dat de boot sinds het vallen van de mist iets van zijn koers was afgeweken, blijkbaar afgezet door de stroom. Hij gaf zijn aanwijzingen: een beetje stuurboord... een beetje bakboord... midscheeps... recht zo ie gaat.

Al snel had hij de grote boot weer op de havenas. Op de concentrische cirkels van het scherm kon hij de afstand tot de pieren meten. Halve kracht varend gleden ze ernaar toe. Ze kwamen goed door de hoofden. Dat kon Jan Loots van de brug af niet zien, want hij kreeg noch het groene, noch het rode licht in het oog, maar het geluid van de misthoorn kwam precies uit de goede hoek. Zo kon hij controleren dat de radar feilloos werkte. Op het scherm kreeg hij nu het beeld van het forteiland, recht voor de boeg.

Jan Loots dacht aan het afscheid van zijn vrouw vanavond. Had ze misschien deze mist voorvoeld? Dan had ze zich voor niets bang gemaakt. Op radar voer je tegenwoordig veilig bij de dichtste mist.

Hij wilde ten noorden van het eiland langs, want ze moesten door de noordersluis. Daarom liet hij een beetje bakboord geven. Het schip schoof langs de hoek van het eiland.

Toen zag Jan Loots iets op het scherm dat hij niet dadelijk thuis kon brengen. Hij moest na het passeren van het eiland de noordersluis zien en daarachter de compacte massa van de hoogovens. Maar zat er niet nog iets vóór de sluis? 't Was moeilijk te onderscheiden. Hij vroeg de kapitein om eens te kijken. Die wist het ook niet.

Plotseling herkende Jan Loots het beeld op het scherm en tegelijk hoorde hij ook een sirene die antwoord gaf op hun sirene, die al een half uur monotoon gedreund had door de mist. Het was een schip! Een tegenligger! Hij was vlakbij.

'Volle kracht achteruit!' beval hij scherp aan de man die de telegraaf bediende.

Er klonk een heldere bel. De boot ging schudden, toen de machtige machines plotseling achteruitsloegen. Het schip deinsde.

Maar hoe was hun positie nu? Op een afstand werkte de radar feilloos. Op zee zag men alles haarscherp, tot zelfs wat achter de horizon lag. Maar nu alles zo dichtbij was: het forteiland, de pieren, de kaden en sluizen en de tegenligger, vloeiden de beelden in elkaar over en was niet duidelijk te zien wat in de weg zat. Hoe zat het nu, bewoog dat voorwerp voor hun boeg, of leek het maar zo, omdat ze zelf bewogen?

Jan Loots liet stoppen. Dat leek hem het veiligst. Ze dreven nog wat achteruit, en kwamen zo uit het vaarwater van de tegenligger.

Opeens dreunde er een harde schok door het schip. Op de brug rinkelde op hetzelfde ogenblik de telefoon. Het was de tweede stuurman die van het achterschip meldde dat ze met het hek in de wal waren gelopen.

'Langzaam vooruit,' gaf Jan Loods bevel en na een ogenblik, toen

hij voelde dat ze weer uit de wal waren: 'Stuurboord je roer!'
'Stuurboord,' herhaalde de roerganger monotoon. Maar even later, geagiteerd: 'Het roer slaat niet uit, loods.'
Toen werd het ernstig. Het schip dreef stuurloos in de dikke mist in de smalle buitenhaven.
'Ik raad u aan te ankeren, kapitein,' zei Jan.
De kapitein was het ermee eens. 'Vallen je beide ankers!' gelastte hij. Met zwaar geraas liepen de ankerkettingen door de kluizen. Het schip lag stil.
Jan Loots keek weer op het scherm en schrok. Hij greep de draad van de sirene en liet die met korte stoten loeien. Het leek op het janken van een hond in doodsangst.
Het was tevergeefs. Er dreunde een nieuwe schok, die het schip deed sidderen. Er knarste ijzer en er kraakte hout. Ze waren in de midscheeps aangevaren.
'Een gat in de tweedeklas salon, kapitein,' rapporteerde de vierde stuurman.
Er ontstond paniek. Gewonden jammerden en huilden. Vrouwen en kinderen renden schreeuwend over het dek. Opgewonden mannen scholden.

Jane lag in haar bed. Ze hoorde de misthoorn loeien. Even nadat het was begonnen hoorde ze de sirene van een grote boot daartegenin. Toen wist ze dat haar man op deze boot was, al had geen mens het haar gezegd en kon ze het onmogelijk berekenen. De stem van binnen, die haar zo vaak zei wat oog en oor niet konden waarnemen, vertelde het haar en deze zei haar ook dat hij in moeilijkheden zou raken. Ze wist dit nu nog veel zekerder dan vanmiddag bij het afscheid. Ze werd erg bang en toen daarna een derde fluit zich krijsend mengde in het geluid van hoorn en sirene, ging het haar door merg en been. Ze deed wat ze beloofd had. Ze bad met gevouwen handen en prevelende lippen. Ze hoorde een stoot en zwaar gekras van ijzer. 't Was of ze de botsing zelf voelde. Haar bidden werd erg vurig.

Jan kwam de volgende dag verdrietig thuis. Hij was op het kantoor in Amsterdam berispt, omdat hij niet die voorzorgen en voorzichtigheid in acht genomen had, die een goede loods betamen. Dit was zijn eerste ernstige berisping in zijn lange loopbaan. Hij was erdoor geschokt. Hij zag er ook tegen op het aan Jane te vertellen. Die had hem zo gewaarschuwd. Als hij naar haar geluisterd had, was hij voorzichtiger geweest en had hij de kapitein geadviseerd buiten te blijven. Nu zou ze zeggen: Zie je wel... Maar dat zei Jane niet. Hij hoefde haar ook niets te vertellen. Ze wist er alles van. Ze verweet hem niets en ze praatte niet van: Had je maar... Ze was alleen maar dankbaar dat het zo goed afgelopen was met hem en met alle mensen aan boord. Die berisping. Moest Jan zich daar zorgen om maken? Wie werkt maakt fouten. Niemand is volmaakt. 'Jij bent mijn allerbeste loods,' zei ze en ze zoende hem op zijn grijs geworden slapen.
Niet lang daarna kreeg hij pensioen.

19 EEN STEM LEIDT IN BEHOUDEN HAVEN

En nu was Jan Loots na jaren rust weer in dienst en voer hij in de jol naar het schip dat hij moest binnenloodsen in een dichte mist.

Scherp luisterend naar de stoomfluit van de Italiaan stuurde de leerling die aan het roer van de motorjol stond, voorzichtig in de richting van het geluid. Maar zelfs toen zij de dreunende bas heel dichtbij hoorden, ontdekten ze het schip nog niet.

'Achteruit!' riep de jongen op de plecht van het jolletje.

De schroef sloeg ogenblikkelijk hard achteruit.

Het was iets te laat. De jol kreeg een stoot; zijn boeg was tegen de scheepswand van de Italiaan gebotst.

Het was een groot schip, grijs geverfd en daardoor bijna onzichtbaar in de grijze mist op het grijze water. Alles vloeide in elkaar over.

Ze hadden op de Italiaan hen toch ontdekt. Van boven werd geschreeuwd dat ze meer naar voren moesten; daar hing de ladder uit. Maar de mannen in de jol wisten niet eens waar voor of achter was; zo ondoorzichtig was de mist. Tenslotte vonden ze de ladder.

Jan Loots stapte vlot over. Dit kan ik nog goed, stelde hij met voldoening vast. Nu ja, de zee was olieglad. Het klimmen viel hem tegen. Was deze boot zo hoog? Of lag het aan hem? Zijn hart ging sneller kloppen. Als ik los zou moeten laten, huiverde het opeens door hem heen, dan zou ik in zee vallen en niemand zou het zien bij deze dikke mist. Vroeger had hij bij het klimmen zijn hart nooit gevoeld en zulke dwangvoorstellingen had hij nog nooit gehad. Waar kwam dit vandaan? Door ongewoonte, nu hij al drie jaar geen loodsladder beklommen had? Of was het ouderdom?

't Was ongewoonte, stelde hij vast. Hij was nog flink. Als hij een maandje dienst deed, was hij er weer aan gewend en klom hij even vief als vroeger.

Hij was er. Een matroos gaf hem een hand om hem aan boord te helpen. Hij zei zo iets van 'ouwe baas'. Was het dan toch de ouderdom? Hij moest nog een paar trappen opklimmen naar de brug. Toen hij er eindelijk was en in het stuurhuis: 'Goeiemiddag samen' zei, stootte zijn stem een beetje door gebrek aan adem.

De Italiaanse kapitein vroeg hem of hij het aandurfde bij deze mist naar binnen te gaan. Hij antwoordde ontwijkend dat de loodsdienst niet gestaakt was, maar dat de verantwoordelijkheid natuurlijk bij de kapitein lag.

'Heb jij vertrouwen in de radar?' vroeg de kapitein.

'Ze hebben hier de beste die er is,' antwoordde hij weer wat ontwijkend.

De kapitein was niet gerust. Hij vertelde van een onprettige ervaring op de Theems, toen hij bij mist een Londens dok invoer. Hij had toen aan zijn radar niets gehad en was daardoor lelijk in de knoei gekomen.

Jan Loots zei niet dat hij precies dezelfde onprettige ervaring met de scheepsradar had gehad. 'Er is nu havenradar, die is goed,' antwoordde hij.

'Heb je er goede ervaring mee?'

'Ze voldoet best,' antwoordde hij in het algemeen.

De kapitein nam hem onderzoekend op. Voelt hij dat ik eromheen draai, vroeg hij zich af, of taxeert hij m'n leeftijd? Vindt hij me soms te oud? Hij moet niet weten dat ik gepensioneerd, dat is, afgedankt ben. 'Onze ervaring is nog niet zo groot,' ging hij door. 'De installatie is hier nog maar kort, ziet u, en we hebben niet alle dagen mist.'

'Hm... 't Scheelt niet veel,' mopperde de Italiaan. 'Mist, regen en natte sneeuw. Ander weer heb ik nog nooit gehad in het noorden.' Hij kon niet begrijpen dat er nog mensen wilden wonen in deze oorden, waar de zon nooit helder scheen. 'Hoe lang blijft

deze mist hangen? Als het gauw voorbij is wacht ik het liever af.'
'Niets van te zeggen,' antwoordde Jan Loots. ''t Kan met een uur voorbij zijn, het kan ook dagen duren.'
De Italiaan bromde. Het zou wel dagen duren in dit land van mist en kille regen. Hij stond in tweestrijd. Hij nam liever geen risico, maar zijn reder zou ook slecht te spreken zijn als hij vertraging had. Hij had pas nog een ongezouten brief gekregen over zijn laatste reis, die langer had geduurd dan de reder nodig vond. Ik wens geen trage lui als kapitein, had hij geschreven. Dat was een bedekte bedreiging met ontslag. 'Vooruit dan maar, op jouw verantwoording.'
Dat nam Loots niet. 'U bent verantwoordelijk, kapitein, niet ik. Ik ben maar adviseur.'
'Wat adviseer je?'
Toen beet Jan zich op de tong. Op dit moment wilde hij dat hij de raad van Herman van Dijk had opgevolgd en deze beurt voorbij had laten gaan. Hij had geen zin in binnenvaren bij deze mist, nadat het toen mis gegaan was op de radar. Maar de loodsdienst was niet gestaakt. De jonge loodsen zouden zeker binnenvaren. Wanneer hij adviseerde: buiten blijven, zou hij zich laten kennen als een onvolwaardig loods en dat wilde hij niet, in geen geval. En de havenradar was goed gebleken. 'Ik geloof dat we naar binnen kunnen gaan, kapitein,' zei hij.
'Dan gaan we,' besloot de kapitein.
De Brindisi stoomde langzaam op. Intussen haalde Jan Loots de portofoon uit het linnen koffertje dat hij meegenomen had, zette hem aan en riep de havenradar van IJmuiden op.
Die meldde zich onmiddellijk. Jan vroeg om radarassistentie bij het binnenlopen.
'Waar zit u?' vroeg de stem uit de luidspreker van zijn toestel.
Jan Loots gaf zijn positie op, geschat, omdat hij in de mist niets controleren kon.
'Ik geloof dat ik u op mijn scherm zie, maar ik heb graag zekerheid dat ik de goeie assisteer. Maakt u eens een zwaai over stuurboord.'

Jan gaf de roerganger bevel en de Brindisi ging stuurboord uit.

'Nu nog een slag over bakboord,' zei de chef van de havenradar. Ook dat werd gedaan.

'Ik heb je, Jan Loots,' zei de stem. 'Je zit duizend meter ten zuiden van de lijn, nog een aardig eindje van de zuiderpier af.'

'Noordoost,' gaf Jan aan de roerganger op.

'Nu zit je op driehonderd meter van de lijn en vijftienhonderd meter van de pier...,' kwam de stem na een poosje. 'Ja, het gaat goed... Nog tweehonderd meter van de lijn... Nog honderd meter... Nu ben je op de havenas... Je koers is iets te noordelijk, Loots... Goed zo, recht zo ie gaat.'

'Het klopt precies,' zei de kapitein, die op zijn radartoestel de aanwijzingen van de wal gecontroleerd had. 'We liggen er recht voor.'

Jan Loots keek ook op het scherm. Het was een veel moderner apparaat dan er in zijn tijd op de schepen stonden. Je zag de beide pieren als twee vurige armen. Ze liepen midden in die armen.

De Italiaanse kapitein was rustiger dan daarvoor. Hij had vertrouwen gekregen in de havenradar van IJmuiden. 'De zaak is daar prima voor mekaar, he?'

'O ja!' verzekerde Jan Loots. Hij wist dat de apparatuur uitstekend was en hij kende Willem van der Ven, die voor het toestel van de havenradar zat, als een kundig, accuraat en rustig man, op wie je aan kon.

En toch bleef hij onrustig. De vorige keer ging het buiten de pieren ook goed; je zag daar alles wat je op het scherm moest zien even helder als bij zonneschijn. Maar in de haven liep het hopeloos mis.

Ja, met de scheepsradar. Maar de havenradar was immers juist voor het gebruik binnen de pieren en in de sluizen geschikt. Hij had het zelf gezien in de donkere kamer op de semafoor. Hij kon erop vertrouwen. Maar hij vertrouwde niet. Hij zou straks moeten sturen op een stem zonder iets te zien; hij zou het niet eens kunnen controleren op de scheepsradar, want daarop vloeiden de partijen in elkaar over. Hij moest vertrouwen hebben en hij had het niet.

Er was geen weg terug. Toen hij op de loodsboot weigerde zijn beurt voorbij te laten gaan, had hij beslist. Toen hij de Italiaanse kapitein het advies gaf naar binnen te varen, had hij de allerlaatste kans om aan het risico te ontkomen opgegeven. Nu moest hij doorgaan.

'U ligt er prachtig voor,' zei de stem uit het toestel. 'Nog vierhonderd meter van de havenmond... Nu is uw boeg tussen de pieren.' Jan Loots keek onwillekeurig naar buiten. Er was niets te zien; geen lichtopstand, geen hoofd. Natuurlijk niet. Het was nog veel dikker dan op die bewuste dag vijf jaar geleden. En toen was het van hier af misgegaan.

'Ik ben de kluts kwijt,' zei de Italiaanse kapitein, van achter zijn scherm komend. 'Zopas zag ik de pieren nog goed. Nu is er een wirwar van lijntjes en streepjes waar ik geen wijs uit kan worden, net als toen op de Theems bij Londen.'

Jan ging kijken. Het viel hem mee. Hij herkende het forteiland en andere partijen. Maar dat deed hij vijf jaar geleden ook. Voorbij het fort werd het toen een doolhof. En van achter het eiland was de tegenligger opgedoken. Wat zat daar nu? Wat zat er achter de dammen van de vissers- en de haringhaven? Op dit radarscherm tekenden zich geen masten af, net zo min als op de oude schermen. Op dat van de havenradar wel? Hij wist het niet meer.

'Ik zie geen steek,' klaagde hij in de microfoon. 'Je blijft me toch wel assisteren, Willem?'

'Dat komt in orde, oom Jan,' antwoordde de rustige stem. 'Jullie moeten doorschutten in de middensluis en over stuurboord meren. Wil je bezuiden het fort om?'

'Jawel,' antwoordde Jan. 'Zit er niets in de weg?'

'Nee, niets... Als je een beetje stuurboord gaat... Recht zo... Met deze koers loop je vrij van het fort.'

'Ligt er nog niets in de weg?' vroeg Jan weer. Waar het schip nu was, was het de vorige keer misgelopen.

'Nee... de vaart is vrij... Een beetje bakboord... Nu lig je recht in de koers naar het toeleidingskanaal.'

'Het loopt alles gesmeerd, kapitein,' zei Jan opgewekt tegen de Italiaan. Hij dacht erbij: als je je maar leiden laat, als je het niet zelf wilt doen, maar vertrouwt. Als je maar luistert naar de stem en ernaar doet, blind vertrouwend, dan gaat het goed.

'Hallo, Brindisi,' riep de radarwaarnemer. 'Er komt iets uit de haringhaven in uw richting.'

Jan Loots schrok. Zou het nu toch nog misgaan, terwijl hij meende er te zijn? Hij ging het stuurhuis uit en hield een hand aan het oor.

Hij hoorde geen sirene, behalve hun eigen, die iedere minuut oorverdovend loeide .

''k Hoor niets,' berichtte hij aan de radarpost. 'Zit hij ons in de weg?' Hij klonk zenuwachtig.

'Welnee! 't Zal wel een logger zijn die zee kiest. Hij hoort jullie natuurlijk bulken, net als ik hier op mijn post. Verdraaid, wat maken jullie een lawaai! Die logger zal wel achter jullie omgaan.'

Het luchtige praten van Van der Ven kalmeerde Jan. Hij maakte zich onnodig ongerust. Die logger was natuurlijk een heel eind uit de buurt. Ze voeren langzaam verder, bijna geluidloos, behalve het loeien van de sirene. De machines werkten zo rustig, dat er nauwelijks trilling in het schip gevoeld werd.

'Stoppen, Jan,' kwam de stem uit de luidspreker.

Jan Loots gaf meteen bevel, onmiddellijk weer ongerust.

'Wat is er?' vroeg hij door de portofoon.

'Ik weet niet wat dat vaartuig uit de haringhaven wil.'

De Brindisi lag stil.

'Die rare schutter!' klonk het uit de radio, voor het eerst een beetje opgewonden. 'Achteruit, Jan!'

Jan Loots schoot zelf naar de telegraaf.

De Italiaanse kapitein werd zenuwachtig. 'Wat is er aan de hand?' kwam hij bij zijn radar vandaan. 'Ik zie op mijn scherm niets verdachts.'

165

Jan Loots antwoordde niet. Hij zat warempel in precies dezelfde situatie als vijf jaar geleden. Een onzichtbare tegenligger. Nu nog onhoorbaar ook!

Ze sloegen achteruit. De vorige keer was hij achteruitslaand in de wal gelopen... Gebroken roer... een botsing in de midscheeps... ellende!

'Vol achteruit!' zei de stem van Willem van der Ven.

Jan rukte de telegraaf naar achteren.

De kapitein raakte overstuur. 'Wat haal je uit, loods? Volle kracht achteruit? En dat hier, binnen? We lopen vast!'

'U hebt het maar te zeggen, kapitein,' zei Jan gelaten. 'U bent de baas.'

De kapitein gaf geen bevel. 'Wat wilde jij dan?' vroeg hij.

'De aanwijzingen van de havenradar volgen, kapitein.' Jan verbaasde zich dat hij het zo vlot zei. Inwendig twijfelde hij of het nog goed kon komen. Het was net zo'n ingewikkelde situatie als toen. En hij zag niets!

'Schip aan stuurboord; koers op ons!' berichtte de uitkijk van de bak.

'Daar heb je het gezeur!' riep de nerveuze kapitein. 'Wat doe je, loods?'

Het zweet brak Jan Loots uit. De normale manoeuvre bij een dreigende aanvaring was, nu ze achteruitliepen, hard roer geven. Maar hij wist niet hoe ze lagen tussen de wal en het forteiland. Hij moest het overgeven aan de waarnemer in de donkere kamer op de semafoor. En die zei niets. Zag hij dat andere schip nog wel? Lette hij nog op hen?

'Ik krijg dat vaartuig op mijn huid,' riep Jan Loots in de microfoon. 'Wat moet ik?'

'Nog even achteruit,' zei de stem, nu weer helemaal rustig. En vlak daarop. 'Snel stoppen!'

Jan Loots liet vooruitslaan om de vaart uit het schip te krijgen. Een koude rilling liep langs zijn rug. 't Ging net als toen. Ze voeren blind in de smalle haven. Een onbekende en onzichtbare tegenligger zat hun op de huid. Hij verwachtte ieder ogenblik een stoot. Bij het hek, wat roer in de wal betekende, of bij de boeg, een aanvaring. En hij wist niet wat hij ertegen doen moest. Hij had niet op die radar moeten vertrouwen. Hij had niet moeten loodsen bij dit weer. Hij had niet tegen de commissaris moeten zeggen: tot uw dienst. Hij kon het niet meer. Hij was te oud.

De Italiaanse kapitein foeterde en vloekte. Jan zweette, zijn handen beefden en zijn hart bonsde.

'Hij is voor de bakker, Jan!' klonk opgelucht de stem uit de radio. Ook Van der Ven had blijkbaar in spanning gezeten. 'Die rare schutter is voor jullie langs gegaan. Langzaam opstomen maar.'

'Lig ik goed?' vroeg Jan Loots.

'Prachtig. Precies in de koers.'

En na een paar minuten: 'Nu ben je bij het remmingswerk.'

'Ik loop toch niet op de sluis?'

'Nee... nee... Je ligt met je boeg iets om de zuid. Nu ben je vlakbij de kade en heel dicht voor de sluis.'

'Ik zie nog niets!' riep Loots.

'Is het zó dik? Je bent geen vijftig meter uit de wal...'

Jan zweette weer. Het klamme vocht parelde in zijn handen. Hij was doodmoe; zijn benen trilden. Hij moest vlak voor de sluisdeuren zijn, vlak op het remmingswerk. En hij zag geen steek.

De Italiaanse kapitein raakte erg opgewonden. Hij schreeuwde naar de uitkijken voor en achter en tegen Jan. Dit maakte het voor de oude loods nog moeilijker.

'Je schiet fijn aan,' zei Willem van der Ven. 'Nog dertig meter...'

Toen hoorde Jan stemmen van de wal. Maar nog altijd scheidde die kille, grijze muur van mist hen van de kade. Nog steeds voeren ze blind. Hij wachtte op een stoot, zoals men op de donder wacht na het flitsen van de bliksem.

''t Gaat prachtig,' zei de radarchef. 'Je vlijt hem aan de kade, zoals een moeder haar kind in bed legt.'

Hoe is het mogelijk, vroeg Jan zich af. Maar de lof van Van der Ven beurde hem op.

'Wal!' riepen de uitkijken voor en achter tegelijk.

Op hetzelfde ogenblik zag Jan de kade ook. De Brindisi gleed er heel langzaam bijna evenwijdig langs. De lijnen gingen over, de trossen voor en achter uit. Terwijl de dukdalven zacht kraakten, vlijde het schip zich tegen het remmingswerk.

Jan bedankte Willem voor zijn hulp.

Toen kwam de Italiaanse kapitein. 'Loods, mag ik een woordje zeggen tegen die radarman?'

'O, met plezier.' Hij gaf hem de hoorn van de portofoon.

'Hier de kapitein van de Brindisi. Waarnemer, bedankt voor uw assistentie. We zaten lelijk in de piepzak. Ik heb nog nooit zo'n mist beleefd. Zelfs in Londen niet. En ik moet u zeggen dat ik niet veel vertrouwen in u had. Maar u hebt ons er prachtig doorgeholpen en mooi op onze plaats gebracht. U en de loods. Duizendmaal dank!'

Hierna schudde de Italiaan Jan Loots de hand. 'Ik had in jou ook niet veel vertrouwen, loods. Zoals je de brug opkwam! Ik dacht bij mezelf: hoe lang lopen de loodsen mee in Nederland..? Maar je hebt het prima gedaan. Mijn compliment! Gaan we een glas drinken op de behouden binnenkomst?'

Jan deed het graag. Na al de emotie had hij een opkikker nodig. Onder het glas wijn vertelde hij de Italiaan wat hij een uur geleden nooit gezegd zou hebben. Dat hij eigenlijk een afdankertje was, een aftands paard, alleen uit nood nog eens van stal gehaald, en ook dat hij van havenradar bijna niets wist. De Brindisi was het eerste schip dat hij op deze manier binnengebracht had.

'Als u dat geweten had, kapitein!' zei hij, terwijl hij ondeugend over zijn glas fonkelende wijn keek.

'Dan had ik het nooit met je aangedurfd,' erkende die. Hij liet de hofmeester nog eens inschenken en hief het glas. 'Op je gezondheid, loods. Dat je er nog veel zo veilig binnenbrengt als mij!'

Jan klonk en dronk.

De vaart door het Noordzeekanaal ging op een systeem van mist-bebakening dat Jan Loots nog van vroeger kende. Het liep op wieletjes. En de Amsterdamse haven gaf geen probleem. Tussen de hoge silo's van de pakhuizen hing geen mist.

Toen Jan naar huis terugreed was het helder. Nu schitterde Holland in lentetooi. De weilanden waren mals, het jonge vee sprong dartel. In de IJ-polders schoot de tarwe al omhoog; een veld koolzaad lag als goud in het groen. Voorbij Haarlem pronkten de bossen, pas uitgebot, in duizend voorjaarstinten en de kastanjes hadden kaarsen op. Hier en daar was de aarde een mozaïek: rood, paars en oranje van de bollenvelden. En alle kleuren waren fel en stralend door de zon, die helder scheen aan een strakblauwe hemel. Jan wilde dat die Italiaan nu bij hem was, om te genezen van zijn waan dat er in het noorden alleen maar nacht en nevel was.

Thuis wachtte Jane hem op. 'Hoe is het gegaan?' vroeg ze.

'O, best,' antwoordde hij heel luchtig, alsof de vraag overbodig was.

Maar Jane zei: 'Je hebt het zwaar gehad.'

'Hoe zo?'

'Dat kan ik aan je zien.'

Het verbaasde Jan. Hij was wel moe geweest, van spanning. Hij kon tenslotte op de brug nauwelijks meer staan. Maar op de terugreis was hij goed uitgerust en nu voelde hij zich monter. Jane zag altijd door je heen.

'Hoe ging het in de mist?' vroeg ze.

'Vreemd,' gaf hij eerlijk toe. 'Vreemd op die havenradar. Ik kon niets zien. Ik moest me laten leiden.'

'En dat is moeilijk voor Jan Loots,' glimlachte ze.

'Ik moest me laten leiden door de stem van iemand die ik niet zag. Het ging in blind vertrouwen. Omdat ik op die stem vertrouwd heb, ging het tenslotte goed.'

Ze knikte nadenkend. 'Zo is het eigenlijk met ons allemaal,' zei ze.

'Wat bedoel je?'

'Dat wij ons in ons leven moeten laten leiden door de stem van Eén, die wij niet kunnen zien. En dat het alleen goed gaat als we ons overgeven in vertrouwen.'

Nu begreep hij haar; hij was het met haar eens. Met een stille glimlach keek hij door het raam naar buiten, naar de haven. Er voer een schip uit, een ander liep binnen. Ze hadden allebei de loodsvlag in de mast. Maar hij zag die nauwelijks. Hij keek hoger. Wat heb ik toch een mooi beroep, dacht hij. Loods zijn: dat is anderen leiden langs zandbanken en verborgen klippen. Vaak door verraderlijke stromen, dichte sneeuwval en stormen heen, en brengen in behouden haven. Zo had hij het altijd mogen doen. Het leek een beetje op dat wat de Heer deed met Zijn kinderen. En nu was daar de nieuwste uitvinding, de havenradar, bijgekomen. Daarbij moest de loods, om anderen te kunnen leiden, zichzelf toevertrouwen aan een stem die uit de verte kwam. Een stem van een die je niet zag, maar die je veilig leidde door de dichtste mist in het smalste water, als je er maar naar luisterde en ernaar deed. Als je je in vertrouwen aan hem overgaf. Op deze manier was hij er vandaag gekomen. Zo zouden Jane en hij er straks ook komen. Ze naderden het einde van de reis. De haven was niet ver meer. De Grote Loods kwam straks aan boord. Zijn stem zou hen misschien door nacht en nevel leiden, maar zéker in behouden haven brengen.

Enkele vaktermen

bark - type van zeilschip met drie of meer masten, waarvan de achterste gaffeltuig voert en de andere razeilen.

boksen - tegen de wind zeilen.

buizen - overkomen van stuifwater bij harde wind.

drossen - weglopen, deserteren.

duim - ongeveer 2,5 cm.

dukdalf - zware paal, gesteund door vier tot acht schoorpalen om schepen aan vast te leggen of om bruggen en sluizen te beschermen.

fregat - in het algemeen een schip met drie volgetuigde masten.

halzen - voor de wind draaien, over een andere boeg brengen.

hek - de bovenachterkant van een vaartuig.

kluiver - driehoekig stagzeil.

kof - zeilschip voor de binnen- en kustvaart.

kommaliewant - servies en bestek aan boord.

log - toestel om de snelheid te meten.

mailboot - schip dat poststukken vervoert.

manilla - sterke vezel van een bananenboom.

manometer - instrument om de spanning of druk van een vloeistof of gas te meten.

marse-ra - ra aan de marssteng.

mess - vertrek waar officieren eten en drinken.

paard - touw of ketting langs de ra's van zeilschepen, waar de matrozen op staan.

pilot - instrument om kompasafwijkingen te corrigeren.

ra - rondhout, kruisgewijs aan een mast of steng hangend, die dient om een zeil op te houden.

remmingswerk - constructie van paaljukken met (lopend) touw om draaibruggen die open staan te beveiligen en om schepen te leiden bij de invaart van schutsluizen.

schoener - zeilschip met scherpe boeg en oorspronkelijk twee, later ook meer masten met gaffelzeilen.

schoot an - allemaal een borrel.

slaggaard - verdeelde stok die bij de binnenvaart gebruikt wordt om de diepte van het vaarwater te peilen.

stakelen - lichtsignalen geven met een fakkel of toorts.

stoombarkas - zwaarste sloep aan boord van een schip.

takelage - masten, zeilen en touwwerk.

tjalk - zeilschip voor de zee- en riviervaart met ronde boeg, platte bodem en zijzwaarden, van 50 tot 70 ton groot.

tramp - schip van de wilde vaart.

tug - sleepboot.

uiterton - laatste van een reeks tonnen.

vadem - ongeveer 1.80 m.

verlijeren - het vaartuig zakt onder invloed van de wind af naar lijzijde.

voet - ongeveer 30 cm.

volschip - vierkant getuigde driemaster.

walegang - langsscheepse gang onder het hoofddek.

winch - hijswerktuig met horizontale, draagbare spil (lier) om vrachten, sloepen of het anker op te halen of te laten vieren.

zwaard - eivormig schild van zware planken aan weerskanten van zeilschepen met een platte bodem. Ook wel in de bodem, beweeglijk bevestigd, om het afdrijven of omslaan te voorkomen.